正 见
佛陀的证悟

(Almost Buddhist)

宗萨蒋扬钦哲仁波切　著

姚仁喜　译

中国友谊出版公司

图书在版编目（CIP）数据

正见：佛陀的证悟／宗萨蒋扬钦哲仁波切著；姚仁喜译.
—北京：中国友谊出版公司，2006.12
ISBN 7-5057-2245-X

Ⅰ.正...　Ⅱ.①宗...②姚...　Ⅲ.佛教－通俗读物　Ⅳ.B94-49

中国版本图书馆 CIP 数据核字（2006）第 156096 号

书名	正见：佛陀的证悟
作者	宗萨蒋扬钦哲仁波切
出版	中国友谊出版公司
发行	中国友谊出版公司
经销	新华书店
印刷	三河市华晨印务有限公司
规格	787×1092毫米　16开本
	13印张　90000字
版次	2007年1月第1版
印次	2013年5月北京第2次印刷
书号	ISBN 7-5057-2245-X/G·245
定价	25.00元
地址	北京市朝阳区西坝河南里17号楼
邮编	100028　**电话**　（010）64668676

献给印度王子——净饭王之子。

若不是因为他，

至今我还不明了我是一个漂泊的人。

作者简介

宗萨蒋扬钦哲仁波切（Dzongsar Jamyang Khyentse Rinpoche），1961年出生于不丹，为堪布阿贝仁波切（Khenpo Appey Rinpoche）的弟子。他是著名的宗萨寺及宗萨学院的主持人，并负责照顾及教育分布在亚洲六所寺院与机构的约一千六百名僧众。

宗萨蒋扬钦哲仁波切监督悉达多本愿佛学会（Siddhartha's Intent International），该会在全世界有六个教学及修行中心。同时他也负责钦哲基金会（Khyentse Foundation）与莲心基金会（Lotus Outreach）两个非营利机构。他编写并执导过电影《高山上的世界杯》（The Cup）及《旅行者与魔术师》（Travellers and Magicians）。

简体中文版序

许多人问我这本书是给什么样的读者看的。作为悉达多的追随者，能为他的教法和他所留给我们的一切提供服务，一直都是我强烈的愿望。我所有的上师们都曾说过，将悉达多的话语与想要了解的人分享，是最好的服务。因此，纵然已经有极多的佛教典籍和教法存在，我想再写一本也许不是坏主意，因为它可能会利益一些我跟他们有缘的人。因此，我心中没有特定的读者群。不同的人有不同的缘，因此这本书可能不见得适合每一个人。

不久之前，我和一位住在北京的友人陈冠中先生闲聊，谈起佛教在中国的情形。他的看法令我既惊讶又困惑。我一直以为佛教曾深植于中国，因此起了这个话头，但他却告诉我事实上基督教才是现在在中国发展最快的宗教。他的解释是因为许多人认为基督教代表现代化与民主，而把佛教和帝制、封建甚至迷信联想在一起。我对于大家选择基督教没那么困惑，但他所说的理由却令我不解，也更加强了我动笔讨论佛教的意愿。我的感觉是，虽然中国有极大的成长和改变，但一般人对佛教基本教法的接触还是非常有限；即使有一些，也大部分都是混杂而不纯正的。佛教被视为古老、过时、非民主的事实，就是它受到误解的最佳明证。虽然所有的宗教都各有优点，但从我个人的观点来说，佛教比基督教更平等，更现代。佛陀曾说，"你是自己的主宰。"还有什么比这更平等的呢？佛陀以这句话肯定了每个人最基本的人权。而大乘教义认为每个人都本具佛性，不是更平等的观点吗？事实上，佛教基本上是非神论的——佛教徒并不相信有个全能之神独裁地控制着一切。佛教徒也尊崇僧众的概念，和佛法、佛陀本身一样重要。

不过也许我的想法太天真了。因为佛教起源于亚洲，由东方的大师和信徒们所弘扬，因此我想象中国会骄傲地拥抱这些教法，一如基督教和伊斯兰教发源于中东，而由西方世界所弘扬一般。

1982年我首度造访中国，其后又有数次机会前往。每次我都注意到两件事：巨大的经济成长，以及愈来愈多人对心灵性和精神面的渴望。许多混杂了健身和民间信仰的新式宗教兴起，支持了我的观察。最近一次的中国之旅，当我了解到有多少藏人在内地教法之后，我开始感觉到急迫性。因为在西藏虽然还是有许多优秀的喇嘛，但是也有很多冒牌货。除非你能遇见具足佛教正见而且慈悲的具格藏传佛教上师，他们真正关心众生的证悟，而不只是想号召大群弟子以便获取供养；否则的话，相当容易受到误导。

从我身为藏人的一点体验，我注意到一些藏人倾向于教导西藏法——西藏文化、西藏习俗等——多于佛法。我认为传达佛陀确实说过的话语，譬如：一切和合事物皆无常；一切现象既非无因，也非源于创造者，而是来自因缘；行之善恶取决于背后的动机而非行为本身等等，将这些教导给世人是非常重要的。举止穿着像个藏传佛教修行者，反而是比较不重要的。

另外，令人忧心的是，在这个物质主义的世界中，精神层面也物质化了。世世代代以来，无数的佛教大师们，以大菩萨的发心和事业，化现各种形式，从苦行僧到国王，不一而足。然而，乔达摩佛陀在街上赤足托钵的简单身影，似乎愈来愈不受重视了。现今，许多西藏喇嘛和他们的信徒们，比较热衷于建造金顶大庙。我怕再过个五十年，中国佛教徒会以为大寺庙、大佛像、大僧团就是佛教的全部了。

从内地和西藏的友人口中，我听说各式各样的郎中从四面八方涌现。而这些人大都前往了内地，因为大家渴求心灵与精神面的事物。这种渴求，更加强了必须把事情弄对的急迫性。

中国是个高速成长的国家。然而，在物质进步的刺激中，很重要的是我们不要迷失而忘记了心灵的一面。也许对实用主义的中国人，要说服他们心灵方面的努力会有利益是不容易的。在经济如此蓬勃发展的当下，人们不愿意浪费时间在心灵层面是可以理解的。但是，即使从非常实用性的角度来看，以心灵为目标的物质主义，比起纯粹为物质的物质主义，更具有长远的利益。

最让我不解的是，我们花了这么多努力，却只去获得只能享用于此生的物质回报。如果唯一的价值只是让自己、眷属和朋友有钱有势的话，那么抢劫、诈欺、贩毒等各种可怕的事情，如果不是怕被逮捕，还有什么做不出来？设若连这也不怕了，那么我们何必还需要伦常、道德、善行、慈悲，甚至对国家的忠诚？因此，如果所有人想的只是这单一、相对短促的一生，结果可能是社会瓦解。难怪我们在报道中读到，在中国许多人贩卖赝品，不只是衣服，还包括药品、婴儿食品等不良甚至危险的货品。这都是只想到眼前、短视的后果。我们不必考虑来生，人类只要考虑到下一代的福祉，就会对整个世界带来极大的利益。即使来生不存在，业报也不存在，你就如植物般地活着，我敢毫不迟疑地说，即使你的目标只是满意和谐的此生，佛陀的智慧还是可以帮助你，或至少对你无害。

有一回我在缅甸的一个购物中心，看到一位比丘对着一小群人，正在给一个简短的开示。我的翻译者不太会说英文，但从我所了解的，这位比丘是在教导类似不要杀生或盗窃的基本善行。在这个世纪当中，追求物质的强大力量，已经让这种出家众的身影变得稀少了。能维系实际支持并供养出家众的传统，会带来世界的和谐。珍视这种系统，本身就是和谐的行为。

最后，我想说的是，除了几个不太长的朝代，几世纪以来，极度实用主义的中国人采用了儒家，而非佛家或道家，以至于道家几乎了无踪迹了。这是很令人伤心的事，因为即使是《道德经》的只字片语，都是无价的。我对儒与道所知有限，但是我的猜测是，儒家所提供的是常识，因此实际的中国人喜好儒家；而道与佛提供的却是超越常识的智慧。它不能带来即刻的获利，但是如果中国人能看到拥抱智慧的长远利益，我有信心中国人会再度拥抱佛教。毕竟，这是一个与文殊师利及观世音两位大菩萨有深厚渊源的民族啊！

宗萨蒋扬钦哲

　　结识宗萨仁波切应该是十年前的事了。那一日在友人家里
为了克里希那穆提的教诲是否能代表中观思想一事，与这位作
风西化的仁波切辩论了将近一个多小时。在场的几位仁波切弟
子，包括多年老友赖声川及丁乃竺在内，都明显地让我感觉到
我的表现有点大不敬，但仁波切却落落大方、耐性十足地提出
他的观点供我做参考。他超然的客观态度，当时留给了我深刻
的印象。

　　第二次见到这位精神导师是在《小活佛》这部电影上映后
不久。那是一场为他的佛学院举办的募款晚会，坐在我身边的
贵宾是当时内地的文化部长英若诚先生，也是这部戏的主角之
一。我记得仁波切上台面带难色地为那次募款事宜感谢在场来
宾时，英先生转头对我露出了会心的一笑，我们都被这位不善

求人的老师的真实表现所触动。不久之后英先生就过世了。

第三次见到仁波切，我正面临严重的气脉上的困境，晚饭过后，他安静地看了我一眼，便立即提出了只有过来人才具备的洞见——他建议我把注意力由内向外拓展开来，不要再缩小焦点于身上的经络变化。他的指点解除了我多年来对色身的过度认同，同时也令我深深领略克氏指出的"自力救济之道"有多么强人所难了。老师毕竟还是有作用的。

最近一次与仁波切会面，则是在他的《旅行者与魔术师》这部电影的记者会上。就一位执导技术上仍然处于学习阶段的导演而言，这部影片启发人心的程度，远远超过我前一天晚上观赏的那部技术上几乎无懈可击的《舞动世纪》(由刚过世的大导演罗伯·奥特曼所执导)。我直率地将这番想法对在场的人士表白，仁波切听了姚仁喜先生的翻译之后，点了点头表示心契。

我被这部影片憾动的部分，其实和《正见：佛陀的证悟》这本书是类似的：我看到一位承继藏传佛教最优良传统及训练的老师，仍然以虚怀若谷的观察和学习态度，寻幽入微地探索着现代文明与文化的琐屑内涵，然后以洗炼的笔锋和诚挚的执导风格，清晰地勾勒出现代人如何背离了佛陀四法印中的生命真谛。

就在阅读完创巴仁波切前妻所写的传记而未能免俗地对上师制度彻底幻灭之际，这本《正见：佛陀的证悟》带给我的意外惊喜，适时地让我体认到情绪与论断的无恒常性，以及仁波切在书里提到的那句对自由或证悟的观感："我们没有勇气和能力善用真正的自由，只因为我们无法免除自己的傲慢、贪求、期待与恐惧。"

胡因梦

2006.12.18

李连杰推荐序
一场没有戏的好戏

　　人生如梦，转眼间在届满四十二岁的此时，突然这位我尊敬的上师——宗萨蒋扬钦哲仁波切，嘱我为他的新书写序，真让我又惊又喜。回首过往，我从没好好地上过学，既不会写中文字，也只会写一点点英文，叫我写序，可真是考倒我了！还好，人生就是一场戏，我是演员，而上师是导演；不熟练的演员时常忘了自己在戏中，幸好有导演指导演员演戏，并且不断地提醒演员他正在演戏；既然是戏梦一场，那就斗胆下笔吧！

　　与仁波切一样，我也是电影工作者。在工作时，我经常会询问导演该剧本的编剧是谁；而仁波切这位不平凡的导演却不断地提醒我，我自己是演员，也是编剧。收到这本书，就如同收到一个剧本一样。其实学生遇到上师，就像演员遇到导演。我有幸遇到这么多的上师和导演，让我充分了解人生。而仁波切这位导演的方法很直接，对究竟与世俗（戏里与戏外）讲得非常清晰，教我演好戏的方法与技巧。

演员常忘了自己正在演戏，就像我们自以为是佛教徒，把文化与佛法混在一起，本书明白地告诉我们，成为佛教徒后，以为自己不再演戏，实际上却陷入另一场戏，还持续在演佛教徒这个角色。

当我放下工作，投入修持，以为不再演戏，其实只是换了个角色，身在另一场戏中。每次有缘与仁波切这位导演见面时，他总是提醒我，连身为佛教徒，也不过是另一场戏罢了。

当你把这部戏都扔掉，才是一场没有戏的好戏，看似无戏，实则处处是好戏。

若想从无明到无名，真诚推荐大家细读这本书。

李连杰

2005.12.31

译者序

作为一个中文读者，我要在此向宗萨钦哲仁波切致上最大的感恩。仁波切这本大家期盼多年的著作，他一直计划要让中文版与英文版同时问世。事实上，我知道仁波切在写这本书的时候，一直把中文读者放在心上，特别写了不同的内容。因为如此，中文版与英文版不尽相同。

能为宗萨钦哲仁波切翻译他的新书，是极大的荣幸。然而，仁波切看似简单的文字，却包含了深入浅出的层层奥义。仁波切下笔行云流水，诙谐幽默，又字字珠玑。反复研读，更体会到仁波切的用心良苦。在轻快的字句后面，充满了引导我们这些无明众生脱离轮回的佛菩萨大悲大愿。

如同仁波切在书中所说的，他要以最简单的语言，来说明佛教最核心的四法印见地，因此，中文的翻译也尽量采取日常而单纯的词汇。在本书中，"emotion"一词译为"情绪"而不是传统的"烦恼"；而"compounded"一词则译为"和合"；同时，在提到四法印时，仁波切在不同的地方用了不同的说法，包括"four truths"、"four seals"及"four views"，中文则依序翻译成"四真谛"、"四法印"以及"四见地"而不加以统一。四法印第一次出现在书中时，除了白话翻译之外，我选择了一种传统的说法附在旁边，以供比较参考。其中，对第二法印在传统上有多种诠释，包括"诸行皆苦"、"有为皆苦"、"诸受皆苦"等等，我选用了"诸漏皆苦"一词，与仁波切在后记中提到的藏文"zag bcas"之意较为接近。

我才疏学浅，在翻译的过程中，虽然历经多次修改，还是一再地发现疏漏或尚待改善之处。尤其是每次重读英文原稿，总又发觉新意，以至于愈翻译愈焦虑，深恐中译本无法完全传达仁波切之原意。然而，我也愈翻译愈感激仁波切，多次反复的阅读，让我对如何才是佛教徒有了更深刻的了解。

我要感谢项慧龄、廖敏仁两位共修，在翻译期间协助我完成部分初稿，感谢田瑾文小姐中文输入的辛劳，更要感谢许功化（Florence Koh）以及司徒朗觉（C.C.Szeto）在百忙之中，不厌其烦地为我做修改及建议，以及出版社编辑林云小姐的校正。当然，所有的错误，都是由于我个人的无知所造成。

谨以此翻译的功德，回向给我在三十年前的今天往生的母亲，以及一切如母众生。

愿所有的近乎佛教徒，读过此书，都成为完全佛教徒。

姚仁喜

2006年新春初六

自序

又是一本介绍佛教的书

有一回，在横越大西洋的飞机上，我坐在中间排的中央，邻座那位具有同情心的先生想要表示友好。看到我剃的头和穿的藏红袍子，他猜测我是个佛教徒。当机上开始供应餐点时，这位仁兄主动地提出帮我要素食。他想象我是个佛教徒，应该不吃荤。这是我们闲聊的开头。这趟飞行相当长，为了免于无聊，于是我们讨论了佛教。

多年以来，我渐渐了解人们常将佛教或佛教徒与祥和、禅定和非暴力联系在一起。事实上，很多人似乎认为黄色或红色袍子加上平和的笑容，就是佛教徒的全部。身为一个狂热佛教徒的我，应该对这种名声感到自豪，特别是非暴力这一项。因为在今天这个战争与暴力，尤其是宗教暴力的年代，这是非常稀有的。在人类的历史上，宗教似乎是残暴的根源。甚至在今天，宗教极端分子的暴力充斥着新闻。然而我应该可以很有信心地说，到目前为止，我们佛教徒没有令自己汗颜，暴力从未在佛教的传扬中扮演过任何角色。然而，身为一个受训练而成的佛教徒，对于佛教只是被联想成素食主义、非暴力、祥和、禅坐等，还是感到有点不满足。悉达多太子舍弃了宫廷生活所有的舒适与豪华，出发去寻求证悟时，所追求的一定不只是消极性和灌木丛而已。

佛教虽然在要义上很简单，却不易很单纯地解说。它几乎是难以想象地复杂、广大而且深远。虽然它既非宗教也非神学，却又很难让它听起来不理论化或不宗教化。而佛教传播到世界各地，受到种种文化习俗的影响，更让它变得复杂而难以破解。诸如香、铃、彩色帽冠等宗教性的饰物，固然可以引起人们的兴趣，但同时也可能成为障碍。

有时候，由于悉达多的教法没有如我所愿地风行而引发的挫折感，或有时候出于自己的野心，我会想象一些改革佛教的主意，想把它变得更单纯、更直截了当、更清教徒式。以歪理歧见来想象（如同我有时会做的），将佛教简化成定性、定量的修行，诸如每日禅坐三回，坚持穿着某种服装，坚信某种意识形态信念，譬如"全世界的人都应该转信佛教"。如果我们能许诺这种修行会带来立即、实际的结果，我想世界上就会有更多的佛教徒。然而，当我从这种幻想醒过来（鲜少发生在我身上），清醒的心会警告我，一个充满了自称佛教徒的世界，不见得会是一个更好的世界。

许多人误以为佛陀是佛教的"神"，甚至在一般认为的佛教国家，如韩国、日本、不丹等，对佛陀和佛教都有这种神化的看法。难怪局外人会认为佛教徒就是追随这位外在的、称为佛陀的人。然而佛陀本人曾说，我们不应该崇拜个人，而应崇拜此人所教导的智慧。有许多人也同样先入为主，认为转世、业报是佛教最重要的信念。另外还有许多这类粗略的误解。举例而言，藏传佛教有时被称为"喇嘛教"，而禅宗在某些状况下甚至被认为不是佛教。有些略懂一点却还是被误导的人，会用诸如"空性"或"涅槃"等字眼，却不了解其真义。

如同那位旅伴一般，当话匣子打开，非佛教徒也许会不经意地问道："如何才是佛教徒？"这是一个最不容易回答的问题。如果问者真正有兴趣，那么完整的回答就不能在晚餐的闲聊中完成，而太过概括性的答案又会导致误解。假设你要给他们正确的回答，那么答案就会直指佛教两千五百年传统的基础：

如果一个人接受下列四项真理，他就是佛教徒：

一切和合事物皆无常（诸行无常）

一切情绪皆苦（诸漏皆苦）

一切事物皆无自性（诸法无我）

涅槃超越概念（涅槃寂静）

这四句佛陀宣说的话，称为"四法印"。"印"在此处意指确定真实性之印记。虽然一般认为这四法印包含了佛教的一切，但在绝大多数的状况下，这种回答通常会冲淡了兴头，无法引起更多的趣味。话题也就转变，而结束了这个题目。

四法印的意旨，原本就是要让人直接了解，而非隐喻或神秘性的。它不应该像餐后幸运饼干里的字条一样，看看就算了。然而法印也不是教令或圣诫。稍作思维，也许大家就能看出来，其中没有任何道德性或仪式性的内容，也没有提到善或恶的行为。它们是根据智慧而来的实际真理，而佛教徒最关注的就是智慧。道德和伦理是次要的，偶尔抽一两口烟或有一点点风流韵事，不表示你就不能成为佛教徒。但这并不是说我们就被容许去做邪恶或不道德的事。

广泛地说，智慧来自佛教徒所谓具有"正见"的心。但一个人甚至不需要自认为是佛教徒，就能具有正见。究竟而言，是这个"见"决定了我们的动机和行为。也就是"见"，在佛教的道路上指引我们。如果我们能在四法印之上再发展善行，会让我们成为更好的佛教徒。但什么令你不是佛教徒呢？

如果你认为，并非一切和合或造作的事物都是无常，你认为有某些基本的元素或概念是恒常的，那么你就不是佛教徒。

如果你不能接受一切情绪都是痛苦的，如果你相信实在有某些情绪是纯然愉悦的，那么你就不是佛教徒。

如果你不能接受一切现象都是如幻而性空的，如果你相信有某些事物确实本具自性而存在，那么你就不是佛教徒。

如果你认为证悟存在于时间、空间及能力的场域之内，那么你就不是佛教徒。

那么，什么令你是佛教徒呢？你也许不是生长在一个佛教的国度，或出生在一个佛教家庭，你也许不穿僧袍或剃光头，你也许吃肉而且崇拜饶舌歌手 Eminem 或性感名模 Paris Hilton，这不表示你不能是佛教徒。要成为一位佛教徒，你必须接受一切和合现象都是无常，一切情绪都是痛苦，一切事物无自性，以及证悟是超越概念的。

当然你不需要随时随地、不停地专注于这四项真理。但它们应该常存于你的心中。就好像你不需要随处都忆起自己的姓名，但当有人问起来，你马上就记得，完全不会犹疑。任何接受这四法印的人，即使没有接受过佛陀的教法，甚至从未听闻释迦牟尼佛的名字，也可以与佛同道。

然而，当我试图将所有这些向飞机上邻座的人解释时，我开始听到轻微的鼾声，原来他已沉沉入睡。显然我们的谈话没有能够为他解闷。

我写这本书的目的，不是要说服大家都去追随释迦牟尼佛，成为佛教徒，修习佛法；我有意地不谈禅坐的技巧、修行或咒语。我主要的目的是要指出佛教与其他见地不同的独特部分。这位印度王子到底说了什么，能赢得世人如此的尊敬与景仰，甚至包括如爱因斯坦等现代怀疑论科学家们都如此？他到底说了什么，能感动成千上万的朝圣者，从西藏一路跪拜到菩提伽耶（Bodh Gaya）？佛教与世界上其他的宗教有什么不同？我相信四法印提供了答案的精髓，而我在此试图将这些艰深的概念，以我所知最简单的语言来说明。

悉达多的重点是要直探问题的根源。佛教是不受文化所限制的。它的利益不局限于某个特定的社会。悉达多对学术论述和科学论证没有兴趣，地球到底是圆的还是扁的，他也不关心。他关切的是另一种实际性，他想直探痛苦之源。我希望可以让大家了解，他的教法不是让你读完后放回书架上的哲学巨著，而是每一个人都能修持的、既可行又合理的见地。为了这个目的，我尝试从各类人的各种角度，从坠入情网乃至文明诞生的例子来说明。虽然这些例子和悉达多所用的不同，但它所传达的讯息是相同的，因为悉达多所说的一切，至今仍然颠扑不破。

然而悉达多也说过，不要不经分析就相信他的话语。因此，像我如此平凡的人，更需要被仔细地审视。我邀请大家分析、思量你即将读到的内容。

宗萨蒋扬钦哲

目录

第一章

造作与无常

佛陀不是天上的神。他是个凡人。但他又不太平凡，因为他是一位太子。他的名字叫悉达多·乔达摩，他享有优裕的生活，在迦毗罗卫国有美丽的宫殿、钟爱的妻儿、敬爱的双亲、忠心的臣民、孔雀悠游的苍翠花园，还有一群才华出众的宫女随侍在侧。他的父亲——净饭王，尽全力要让他在宫墙之内不虞匮乏，并且让他的一切需要都能得到满足。因为当悉达多还在襁褓时，一位占星家曾预言，太子将来可能会选择做一名隐士。但是净饭王决心要让悉达多继承王位。宫中的生活豪华、安全而且相当平静，悉达多从不与家人起争执。事实上，他关怀家人，而且深爱他们。除了偶尔与堂弟的关系有一些紧张之外，悉达多和每个人都相处得很好。

当悉达多渐渐长大成人，他对自己的国土以及外面的世界开始好奇起来。净饭王拗不过太子多次的恳求，答应让他到宫外出游。但他严令太子的车夫迦那，只能让太子看到美好的事物。悉达多确实尽情享受了沿途的水光山色和自然丰沛的大地。但就在回家的路上，他们两人遇到一个在路边呻吟的乡下人，被极大的病痛所折磨。悉达多一辈子都被魁梧的侍卫和健康的宫女所围绕，听见呻吟的声音，见到受病苦折磨的躯体，对他来说是一大冲击。目睹了人身的脆弱，在心中留下了深刻的印象，他带着沉重的心情回到了王宫。

随着时光流逝，太子好像又回复了平常，但是他渴望再度出游。净饭王再一次勉为其难地答应了他的请求。这一回，悉达多看到一位齿牙脱落、老态龙钟的妇人，步履蹒跚，踽踽独行。他立刻叫迦那停车，他问迦那："为什么她这样子走路？"

迦那说："主人，因为她老了。"

"什么是老？"悉达多问道。

"她身体各部分经长期使用都已经耗损了。"迦那回答他。

悉达多被眼前的景象所震撼，于是下令迦那掉头回宫。

如今悉达多的好奇心再也无法平息，他想知道外面到底还有些什么，于是和车夫第三次出游。这一回他同样欣赏了沿途美丽的风景，尽览青山绿水。但是在回程的时候，他看到四个人抬着一个尸架，上面平躺着一具毫无生气的躯体。悉达多一生中从来没有看过这样的东西。迦那向他解释那个看来羸弱的躯体，事实上已经死亡。

悉达多问迦那："其他人也会死吗？"

迦那回答："是的，主人，每个人都会死。"

"我的父王甚至我的儿子也会吗？"

"是的，每一个人都会。不论你是富裕或贫穷，种性高贵或低贱，都无法避免死亡。这是生在这世界上所有人的最终命运。"

❖   ❖

第一次听到悉达多开始迈向证悟的故事，我们可能会认为他实在是太天真了。听到一位将要领导整个国家的太子，问出这么简单的问题，似乎很奇怪。但其实我们才是真正幼稚的人。在这个信息时代，斩首、斗牛、血腥谋杀等衰坏与死亡的影像环绕着我们。这些影像非但没有提醒我们最终的命运，反而被拿来作为娱乐和获取利润之用。死亡早已成为一种消费产品。我们大多数人并不去深思死亡的本质。我们不承认自身与环境都是由不稳定的元素所组成，只要一点小刺激就会分崩离析。我们当然都知道终有一天会死亡，但是除非是被诊断罹患绝症，大部分的人都自认暂时不会有危险。偶尔想到死亡的时候，所思索的却是"我会得到多少遗产？"或者"我的骨灰要撒在什么地方？"诸如此类的事。从这个观点来说，我们才是太天真了。

❖   ❖

第三次出游回来以后，悉达多对于自己无力保护他的子民、父母，以及最挚爱的妻子耶输陀罗、儿子罗睺罗免于必然的死亡，感到极度的沮丧。对治贫穷、饥饿、无家可归等苦难他有办法，但是对年老与死亡，他却束手无策。

日以继夜地沉思着这些问题，悉达多试图和他的父亲讨论死亡。对国王而言，这是个理论上两难的问题，他实在不懂太子为何如此耿耿于怀。净饭王愈来愈担心预言成真，说不定他的儿子真会放弃继承王位，选择苦行之路。不管有没有预言，在那个时代，有权势和财富的印度教徒变成苦行僧并不乏其例。净饭王表面上想尽办法来消除悉达多的执著，但是内心里，他并没有忘记那个预言。

然而对太子而言，这并不是短暂的忧伤情绪而已。悉达多完全沉陷其中。为了防止太子愈陷愈深，净饭王不准他再次离开王宫，并私下指示宫中侍卫监视他。就像任何一个担心儿子的父亲会做的，他也尽其所能不让太子看到任何死亡和衰朽的迹象。

婴儿摇鼓及其他分心物

我们在很多地方都和净饭王一样。在日常生活当中，我们会不由自主地让自己和他人避开真相。我们对衰朽的征象已经产生了免疫力。我们告诉自己"不要老想着这些事"，并且用正面的方式来鼓励自己。我们在生日派对中吹熄蜡烛来庆生，而事实上熄灭的蜡烛应该用来提醒自己，离死亡又缩短了一年。我们以烟火与香槟庆祝新年，让自己忘掉旧的一年永不复返、新的一年难以预料的事实。然而，任何事情都可能发生。

当这个"任何事情"令人不满意的时候，我们就会故意转移注意力，如同母亲用玩具和小摇鼓分散孩子们的注意力一样。如果心情不好，我们就会去逛街、下馆子或看电影。我们编织梦想，瞄准终身成就，诸如海边别墅、徽章、奖座、提早退休、名车、好朋友、好家人、好名声，最好还要上吉尼斯世界纪录。到了晚年我们还要有个忠诚的伴侣一起坐豪华游轮旅行，或养纯种贵宾狗。杂志和电视介绍并强化这种快乐和成功的模范让人们去追求，不断地创造新的幻象来引诱我们。这些所谓成功的观念，就是我们大人的婴儿摇鼓。

不论是念头或是行为，我们在一天当中所做的任何事，几乎没有一样显示出我们觉知生命是多么的脆弱。我们浪费时间在影城等候一部烂电影开演，或急着赶回家去看电视现场节目。当我们坐着看广告、等待……此生的光阴就逐渐消逝了。

❖　　　　❖

对悉达多而言，仅只一瞥老死的景象，就在他心中生起了追求真理全貌的渴望。第三次出游之后，他好几次试图独自出宫，但都没有成功。在一个不寻常的夜晚，如常的宴饮作乐之后，一个神秘的咒语席卷了整个王宫，除了悉达多以外，每个人都被制伏了。他在殿中徘徊，发现从净饭王到最低下的仆人，个个都睡得不省人事。佛教徒相信，这场集体的昏睡是所有人类共同累积的功德结果，因为这个决定性的事件，造就了一位伟人的诞生。

由于不再需要取悦王公贵族，宫女们睡到张口打鼾、四肢横陈，戴着珠宝的手指浸在咖喱酱中。她们状若残花，风华尽失。悉达多并没有像我们一样忙着让一切恢复原状，反而由于这样的景象，更加强了他的决心。她们美貌的消逝，正是世事无常的明证。在众人沉睡之际，太子终能不被监视而离开王宫。他看了耶输陀罗和罗睺罗最后一眼，便悄然地消失在深深的夜里了。

❖ ❖

在很多地方我们也和悉达多一样。我们有自己的宫殿——不论是贫民区的单房公寓、郊区的双层别墅或在巴黎的顶层阁楼。我们也有各自的耶输陀罗和罗睺罗。我们也许不是拥有孔雀的王子，但我们有事业、宠物猫咪和数不尽的责任在身。所有的事情老是出状况。家电坏了，邻居吵架，天花板漏水。亲爱的人死了；或是他们早上醒来之前，下巴和悉达多的宫女一样松垮，看起来就像死了一般。也许他们闻起来有秽浊的烟味或昨晚的大蒜味。他们唠叨不停，而且还张着嘴咀嚼食物。但我们还是心甘情愿地困在那里，不试图逃开。或者我们终于会忍无可忍，心想："我受够了！"然后结束一段关系，却又再找另一个人重新来过一遍。我们对这样周而复始的循环从不厌倦，因为我们期待而且相信，有个无瑕的灵魂伴侣或完美的香格里拉正在某处等着我们。面对每天令人懊恼的事，我们自然的反应就是认为我们可以把它们弄对，这一切都能修理，牙齿是可以刷的，我们可以感到完满。也许我们还会认为，总有一天，我们会从生命中的课题中学到圆熟。我们期望自己变成像《星球大战》电影中的智慧长者 Yoda 一样，却不知圆熟只是衰朽的另一个面向。潜意识中，我们期待自己会到达不再需要修理任何东西的境界。总有一天，我们会"从此过着快乐的生活"。我们深信"解决"的概念。好像我们所有经历的一切，到这一刻为止的生命，都只是在彩排。盛大的演出还没开始。

对大多数的人来说，这种永无休止的处理、重新安排以及更新版本，就是生活的定义。事实上，我们是在等待生命开始。如果有人逼问，大部分的人都会承认自己是为了某种美好的将来而努力，譬如在缅因州肯纳邦克港的木屋，或哥斯达黎加的小屋中安享退休生活，或者有人梦想在中国山水画般的理想山林里，在瀑布和鲤鱼池畔的茶亭中，禅思静坐，安享晚年。

我们往往也会这么想：当我们死后，世界依然存在。同样的太阳会继续照亮大地，同样的星球会继续转动，因为我们认为从开天辟地以来，它们一直都是如此。我们的孩子会继承这个地球。这都显示出我们对于不断流转的世间和一切现象是多么无知。我们可能会注意到云在动，指甲在长，但事实上一切都在变动。孩子们不见得一定比父母长寿，而且他们也不见得依照我们的理想生活。小时候乖巧又可爱的小宝贝，长大后可能会变成吸毒的恶棍，还带各式各样的情人回家。你也许会想：这实在不像是我的儿子，但他确实就是。他们毫不在乎地浪费掉你毕生的积蓄，就像人们拿蜜蜂辛苦采集的蜂蜜来泡茶，还觉得理所当然一般。最古板的父母可能会生出最炫目的同性恋小孩，而最散漫的嬉皮却养出新保守派的孩子。可是我们还是执著于家庭的典型，梦想着我们的血统、脸形轮廓、姓氏及传统都能由子孙留传下去。

追寻真理可能像件坏事

重要的是，我们要了解太子并不是舍弃他的世间责任。他不是因为逃避兵役而加入有机农场，或是去追寻浪漫的美梦。他身为一家之主，决心牺牲安逸，离家远行，为的是让家人获得最需要、最珍贵的东西，即使他们并不了解。我们很难想象隔天早上净饭王是多么悲伤与失望。这种心情类似一些现代的父母，发现他们的青少年孩子，学习六十年代的嬉皮花童（许多都来自安逸富裕的家庭），跑到加德满都或伊维萨岛去追求理想中的乌托邦。但悉达多不是用穿喇叭裤、脸上穿洞、染紫头发、身体刺青的方式，而是以脱下太子的华服来颠覆传统。褪去了种种象征教养贵族的外物，披上一块破布，他成了一名游方的托钵行者。

我们的社会，会期待悉达多留在宫中，享受权势，继承王统，因为我们习惯以"你拥有什么"，而不是以"你是什么样的人"来评断他人。在我们的世界中，成功的典范就是比尔·盖茨。我们很少想到甘地式的成功。在某些亚洲及西方社会中，父母要求孩子们在学校取得成就所给的压力，已经超过身心健康的承受度。孩子们要有好成绩才能申请到常春藤名校，要有常春藤的学位才能获得花旗银行的高薪职位。凡此种种，都是为了让家族的光辉永垂不朽。有些父母的家族荣耀感特别强烈，如果要选择让孩子去拯救整个村庄，或是当大企业的执行长，他们会选择后者。

想象你的儿子有个显赫又赚钱的事业，但他洞悉了老死的秘密之后，突然辞职。他再也看不出一天工作十四小时、巴结老板、贪婪地并吞对手、破坏环境、压榨童工、压力不断，只换得一年几周休假的生活有什么意义。他说要卖掉所有的股票，全数捐给孤儿院，然后去浪迹天涯。这时候你会怎么做？祝福他并向朋友夸耀你的儿子终于醒悟了吗？还是斥责他这是完全不负责任的行为，并且送他去看心理医生？

只是对老与死的厌恶，并不足以让太子离开王宫而踏入未知的世界；悉达多会采取这么激烈的行动，是因为他实在无法合理地解释所有已生和将出生的一切众生之命运就是如此而已。如果所有生者都必须衰朽死亡，那么花园中的孔雀、珍宝、华盖、熏香、音乐、放拖鞋的金质托盘、进口的琉璃水瓶、他与耶输陀罗和罗睺罗的感情、家庭、国家，都将变得毫无意义。这一切的目的到底是什么？为什么一个心智正常的人，会为明知终将消散或不得不舍弃的东西而流血流泪？宫殿内造作的幸福，又怎么能让他继续沉湎下去？

我们也许会想知道悉达多能去什么地方。王宫内外并没有任何地方可以逃避死亡。即使耗尽王室的财富，也不能为他延续生命一分一秒。他是在追求长生不老吗？我们都知道那是枉然的。我们对希腊神话中的永生神祇、盛满不死甘露的圣杯（Holy Grail）和庞塞·德·莱昂（Ponce de León）带领将士寻找青春之泉徒劳无功的故事都觉得十分滑稽。我们对秦始皇派遣童男童女，赴东海求不死仙丹的传说也会置之一笑。我们也许以为悉达多也是在追求同样的东西。的确，悉达多是带着某种天真的想法离开王宫的，虽然他不能让他的妻儿长生不老，但是他的探索却没有白费。

佛陀的发现

完全不凭借任何科学工具，悉达多太子以吉祥草为垫，坐在一棵菩提树下，探索人类的本性。经过了长时间的思维，他终于了悟到一切万有，包括我们的血肉、我们所有的情绪和我们所有的觉受，都是由两个以上的元素组合而成。当两种或多种元素和合在一起，新的现象就会产生：钉子和木头产生了桌子；水和叶子产生了茶；而恐惧、虔诚和救世主，就产生了神。这些最终的产物，并没有独立于其各别元素的存在。相信它真实独立存在，是最大的骗局。而在和合的同时，各个元素也起了变化。只因接触和合，它们的性质也随之改变了。

他了悟到不仅人类的经验是如此，所有事物、整个世界、整个宇宙都是如此，一切事物都是相互依存的，因此一切事物都会改变。一切万有，没有一样是以独立、恒常、纯粹的状态存在。你手上的书不是，原子不是，甚至神祇也不是。因此，任何存在于人心可达之处的事物，即使只是想象的，譬如一个四臂人，都需要依赖于其他东西的存在。因此悉达多发现，无常并不像一般人以为的就是意味着死亡，而是意味着变化。任何事物和另一个事物之间的位置或关系转变了，即使是非常细微的变动，都要依循无常的法则。

透过这些了悟，悉达多终于找到了一个方法以解除死亡的痛苦。他接受了变化是不可避免的，而死亡只是这个循环的一部分。而且他更进一步地体认到没有全能的力量能够扭转死亡之路，因此也就不会困在期待之中。如果没有盲目的期待，就不会有失望。如果能了解一切都是无常，就不会攀缘执著；如果不攀缘执著，就不会患得患失，也才能真正完完全全地活着。

悉达多从恒常的幻象中觉醒，因此我们称他为佛陀、觉者。在两千五百年后的今天，我们了解他的发现与教法是无价之宝，不论是学者或是文盲，富人或是穷人，从阿育王到艾伦·金斯堡（Allen Ginsberg），从忽必烈到甘地，无数的众生受其启发。可是在另一方面，如果悉达多今天再出现的话，可能会蛮失望的，因为他的大部分发现都乏人问津。这并不代表现代科技厉害到足以否定他的发现；到现在还是没有人可以长生不老，每个人终究会死，而且每天大概有二十五万人死亡。我们亲近的人不是已经死亡就是将会死亡。然而当亲人死去的时候，我们还是会震惊和悲伤；我们还是继续寻找青春之泉，或是长寿的秘方。频访健康食品店、家里一罐罐的二甲氨基乙醇和维他命 A、强力瑜伽课、韩国高丽参、整形手术、海洋拉娜乳液，等等，这些都是我们内心中和秦始皇一样渴望长生不老的明证。

悉达多太子不再需要或渴求长生不老药了。由于了悟到一切事物皆是和合而成，解构无止境，而且一切万有的各个成分，没有一项是以独立、恒常与纯粹的状态存在的，他因此获得解脱。一切和合之物（现在我们知道这是指一切事物）与其无常的本质是合而为一、不可分割的，如同水和冰块一样。将冰块放在饮料当中时，我们同时兼得两者。同样的，当悉达多看到一个人走过，即使他很健康，悉达多所看到的是此人的生与灭同时发生。你也许会认为这样的人生观不太有趣，但在生命的旅程中能够同时看到一体的两面，可以是非常奇妙的，而且可能会有很大的满足感。这不像在期待与失望的云霄飞车中忽上忽下。如此看待事情，期待与失望会在我们周遭消融，你对现象的觉受会转化，而且变得比较清晰。你很容易看出人们为什么会被困在云霄飞车当中，而自然对他们生起慈悲心。你生起慈悲心的原因之一，是由于无常纵然如此明显，人们却视而不见。

"在目前是"

本质上，和合的行动是被时间所限的——它有开始、中间和结束。这本书以前不存在，现在好像存在，最终它会消散。

同样的，昨天存在的自我——就是你——和今天存在的自我已经不同。你不好的心情已经变好，你也许学会了一些东西，你有了新的记忆，你膝盖上的擦伤愈合了一点。我们这种看起来似乎连续的存在，是一连串受限于时间的开始与结束。即使是创世纪这个行动也需要时间：存在之前的时间、形成存在的时间以及创世纪这个动作结束的时间。

一般而言，那些相信有全能造物主的人，都不分析他们的时间概念，因为大家都假设造物主是独立于时间之外的。如果将一切归功于全能而无所不在的造物主，我们就必须把时间的因素考虑进去。要么这个世界一直都存在着（那就没有必要创世纪了），不然就是在创世纪之前有一段时间不存在，而创世纪需要有相续的时间。因此既然创世主（我们就说是上帝好了）也遵循时间的定律，那么他也一定会改变，即使他唯一曾做的改变是创造这个世界也没关系。一个无所不在而永恒的上帝不能改变，所以最好有个无常的上帝能响应祷告并且改变天气。但只要上帝的行为是由一连串的开始和结束和合而成，他就是无常的，换句话说，也就是不确定与不可靠的。

也许有人会认为，假如地球上的人全都死光了，上帝还是会继续存在。但这是建立在目前这个时间点上所做的假设。也就表示现在有个"假设者"。悉达多会同意，只要有假设者，就会有上帝存在；但如果没有假设者，就不会有上帝存在。如果没有纸，就不会有书。如果没有水，就不会有冰。如果没有开始，就不会有结束。一件事物的存在，需要依赖其他事物的存在，因此没有什么是真正独立的。由于事物与事物的相互依存性，如果某一成分（例如一只桌脚）有一点点的转变，整体的完整性就会改变而不稳定。尽管我们以为可以控制变化，但事实上大多是不可能的，因为无法察觉的影响因素太多了。也因为这种相互依存性，一切事物不可避免地会从目前或原始状态中解体。每一个变化中都蕴藏着死亡的因素。今日就是昨日之死。

　　大部分的人都接受一切生者终将死亡。然而我们对一切与死亡的定义或许不太一样。对悉达多来说，生指的是一切万有，不仅仅是花朵、蘑菇、人类，而是一切生成或和合的事物。而死亡指的是任何的解体或是解构。悉达多并没有研究经费或是研究助理，只有炎热的印度尘土，和几只路过的水牛为他见证。就这样，他深刻地了悟了无常的真相。他的了悟并不像发现一颗新星般地惊人，也不是用来做道德判断、发起社会运动或创立宗教，更不是一种预言。无常纯粹是一个简单实在的事实。不太可能有一天，某个突发的和合事物会突然变得恒常，更难想象我们能证明这样的事。但是在今天，我们不是将佛陀奉为神明，就是想用科技证明自己比佛陀更高明。

然而我们仍然忽略它

在悉达多踏出宫门后的两千五百三十八年，数以百万的人正兴高采烈地准备庆祝与迎接新的一年开始，有些人正在祈祷赞颂神明，有些人则是趁着商品打折大肆采购，此时海啸大灾难震撼了全世界。就算最冷漠的人也震惊不已。当新闻报道出现在电视上的时候，许多人希望奥森·韦尔斯（Orson Welles）会突然出现插播，告诉我们这一切都是假的，或者希望蜘蛛人可以弭平灾难，解救众生。

看到海啸的受难者被冲到岸边，相信悉达多太子也会心碎。但看到我们对这种事情的发生如此震惊，他可能更为心碎，因为这证明了我们一再地否认无常。这个地球是由多变岩浆所形成。每一个地块，不管是澳洲、台湾或是美洲，就像草上的露珠一般，随时会坠落。但是人们从来没有停止过兴建摩天大楼和隧道。我们为了免洗筷子和垃圾信件，贪婪地砍伐森林，只会更加速这无常的反应。人们看到任何现象出现终结的征兆时，应该不会感到意外，但我们却很难去接受。很多中国人都相信长城会永远耸立，就像印度人相信泰姬玛哈陵（Taj Mahal）会永垂不朽，美国人相信自由女神像会永远长存一般。

然而，即使经过海啸这么具摧毁性的警示，死亡与毁坏很快就会被埋藏与遗忘。豪华的度假村很快就会耸立在受难者家属前来认尸的地点。世人依旧会沉迷于组合与造作各种现实，以求取永恒的快乐。渴望"从此快乐地生活"，只不过是冀求恒常的伪装。造作这些亘古之爱、恒久快乐以及救赎之类的概念，只会得到更多无常的明证。我们的意图（生）与结果（坏）是相互矛盾的。我们所求的是历久不衰，但所作所为却正好引导我们走向衰毁。

佛陀教导我们，至少我们心中要保持着无常的概念，不要故意去隐藏它。我们借着不断地觉察和合的现象，便会了知因缘相依。认识因缘相依，我们就会认识无常。而当我们知道一切事物皆无常，才不会被种种假设、僵化的信条（不论宗教的或世俗的）、价值体系和盲目信仰所奴役。这样的觉察力可以让我们免于受限于个人的、政治的和感情的戏码之中。我们还可以将这种觉察力导向大至想象之极，小至次原子层次。

不稳定性

现在你所处的地球，如果不是先被陨石撞毁，也终将变得像火星一样没有生命。或许是一座超级火山爆发，遮蔽了阳光，使地球上所有生物灭绝。在夜空中，我们浪漫地凝视的星星，许多其实早已消失，我们看到的是几百万年前的星光。而在这个脆弱的地球表面，陆地持续地还在变化。我们现在所知道的美洲大陆，在三亿年前只是地质学家称为原始盘古大陆的一部分而已。

但是我们不必等待三亿年才能看见这种变化。即使在短短的一生中，我们也亲眼目睹了所谓的宏伟帝国像热沙上的水痕般蒸散无踪。印度曾有一位女皇住在英国，她的日不落旗飘扬在世界各个角落。但现在落日却映照在英国国旗上。我们深深认同的国家与种族也不断在改变。像以前统治整个领土的毛利族和纳瓦霍族战士，如今住在局促的保留区，而移民反而被认为是原住民。然而这种不断的转变，却从未阻止人们为了建立强大的国家、广阔的疆域与梦想的社会而牺牲生命。几个世纪以来，有多少鲜血是以政治制度之名而流？每一种制度都是由无数不稳定的元素，如经济、收成、个人野心、领导者的心脏血管健康状况、欲望、爱和机运等组合而形成。传奇的领导者也不是稳定的，就有人因为抽雪茄但不吸入，而导致身败名裂。

这种复杂性与不稳定性在国际关系中有增无减，因为盟友与敌人的定义一直在改变。美国曾经盲目地强烈挞伐一个叫共产主义的敌人。即使像切·格瓦拉（Che Guevara）那样的人民英雄，只因为他属于某个政党，而且戴了有红星的贝雷帽，就被谴责为恐怖分子。而短短的数十年之后，白宫就向中国示好，并且给她最惠国待遇。

在人际关系上，我们也同样经历到友谊的改变。过去曾和你分享内心秘密的好友，有可能成为最大的敌人，因为他可以拿那些亲密的交情来对付你。布什总统、本·拉登和萨达姆·侯赛因就在众人面前闹翻而无法收拾。过去他们三个曾是亲密战友，现在却是最标准的死对头，利用对彼此的熟稔进行血腥的圣战，以成千上万人的性命为代价，就为了执行各自信奉的道德版本。

由于我们对自己的道德原则感到自豪，而且常强加于别人身上，因此道德观还是具有少许价值。然而，在整个人类历史当中，道德的定义也随着时代精神而一直在改变。美国人度量政治正确性或不正确性的仪表起伏不定，令人迷惑。不管如何称呼种族或文化群体，总是有人会被冒犯。游戏规则一直在改变。

在古老的亚洲艺术作品中，常描绘女性裸胸行走，即使在近代，有些亚洲社会还是能接受女性不穿上衣。然而由于电视与西方价值的和合现象，传入了新的道德观。突然间，不戴胸罩变成一种道德上的错误，如果女性不把胸部遮掩起来，会被认为粗鄙，甚至还会遭到逮捕。昔日思想开放的国家，现在正忙着接受种种新的道德观，订购胸罩，即使在最热的雨季也要把自己包得密不透风。胸部并不是天生的坏东西，它也没改变过，改变的是道德观。这种改变，把胸部变成是一种罪恶的东西，以至于美国联邦通讯传播委员会罚了CBS电视台一千万美金，只为了珍妮特·杰克逊（Janet Jackson）的三秒露胸。

因与缘：蛋已煮熟，你无法改变它

当悉达多提到一切和合的事物，他所指的不只是像DNA、你的狗、艾菲尔铁塔、卵子和精子等具体可认知的现象而已。心、时间、记忆和上帝，也是和合而成。而每一和合的成分，又依赖更多不同层次的和合而成。同样的，当悉达多教导无常时，他也超越了一般"结束"的想法，像是那种认为死亡只发生一次就完了的概念。死亡从生、从创造的那一刻开始，就没有停过。每一个变化，都是死亡的一种形式，因此每一个生都包含了另一个事物的死亡。

拿煮鸡蛋来做例子。如果没有不断的变化，蛋就煮不熟；煮好蛋的这个结果，需要某些基本的因缘。很显然的，你要有一颗蛋、一锅水和一些加热的元素。另外有些非必要的因和缘，像是厨房、灯光、定时器，还有一只把蛋放进锅子的手。另外一个重要的条件，就是没有像是电力中断或是山羊跑进来打翻锅子之类的干扰。此外，每一个条件，例如母鸡，都需要有另一套具足的因缘条件。需要有另一只母鸡生下蛋才能孵出它，还要有安全的地方，有食物才能让它成长。鸡的食物也要有适合的地方生长，并且要能让它吃进去才行。我们可以将非必要和必要条件一直分析到小于原子的程度，而在这个分析的过程中，各种形态、形状、功能和标识也会不断地增加。

当无数的因缘和合在一起，而且没有障碍与干扰，结果是必然的。许多人误以为这是注定的或是运气所致，但事实上我们是有能力对条件产生影响力的，至少在起始的时候。然而，到了一个程度以后，即使我们祈求蛋不要煮熟，它还是会熟。

就像蛋一样，所有的现象都是由无数的成分所组成，因此它们是可变的。这些无数的成分几乎都不是我们所能控制的，所以会让我们的期待落空。最没有希望的总统候选人可能会赢得选举，并带领国家走向繁荣富足。你助选的候选人也许会赢，然后弄得国家的经济与社会衰败，让你的生活苦不堪言。你也许认为自由左派的政治是开明的，但它也许就是法西斯和光头党之因。这种不可预料性，遍在于所有的物质、感受、想象、传统、爱情、信任、不信任、怀疑论，甚至上师和弟子以及人与神之间的关系之中。

所有这些现象都是无常的。拿怀疑论来当例子。有一位加拿大人，他曾经是个典型的怀疑论者。他很爱参加佛学课程，因为可以和老师辩论。他其实熟稔佛理，所以提出的论点都很有力。他特别喜欢找机会引述佛经，教导人要分析佛所说的话，而不是照单全收。才过了几年，现在的他却是一位知名通灵人的虔诚弟子。这位极端怀疑论者，现在会坐在他歌唱的上师面前，泪水决堤般流下，全身全心奉献给完全无法以逻辑解释的东西。信仰、怀疑论同所有和合的现象一样，都是无常的。

不管你对自己的宗教或对自己不信仰宗教感到自豪，信仰在你的生活中都扮演了一个重要的角色。甚至不信也需要信仰：对自己基于多变情绪的逻辑和理性完全盲目的信仰。所以，不再相信过去所深信的事物一点也不足为奇。信仰的非逻辑本质是非常明显的。事实上，它更是最和合及相互依存的现象。信仰可以单纯地由一个恰好的时间、恰好的地点的恰好的注视所引发。你的信仰也可能只靠表象的和谐。比如说你讨厌女性，正好遇上一个宣扬仇恨女性的人，你就会觉得那个人强而有力，同意他的看法，并且对他有信心。有时甚至像是共同喜好鳗鱼这种小事，都会提升你的虔诚心。或是某人或某个团体能减少你对未知的恐惧，也有相同的作用。另外，你所成长的家庭、国家、社会，也都是所谓信仰这个和合物的成分。

　　许多佛教国家，如不丹、韩国、日本、泰国等国的人们会盲目地遵循佛教的教义；但在另一方面，因为信息不足，或是有太多令人分心的事，这些国家的许多年轻人开始对佛教感到幻灭，使得信仰的现象无法持续，最后他们跑去追随另一种信仰，或是追随自己的理念。

明了的利益

　　明了和合的道理，了解即使只是煮熟一颗蛋也要牵涉到非常多的现象，对我们有很多好处。当我们学会了解每一件事物及状况的各个和合部分，我们就能学习培养宽容、谅解、开放与无畏。举例来说，有些人到现在还认为马克·查普曼（Mark Chapman）是谋杀约翰·列农（John Lennon）唯一的罪犯。要是我们对名人的崇拜不那么严重，也许查普曼就不会有杀死列农的荒诞想法。二十年后查普曼自己承认，当他射杀列农的时候，并没有将他视为一个真正活生生的人。而他的精神不稳定是由许多因素和合而成的（例如脑部的化学作用、童年的教养、美国的精神健保系统等）。当我们能了解一个病态而饱受折磨的心是如何形成，并且知道它是在什么样的情况下运作的，就比较能够理解并宽恕世界上众多的马克·查普曼。当条件成熟，就像蛋煮熟了一样，即使我们祈祷暗杀事件不要发生，它还是避免不了。超过了某个时间点，我们要改变条件的企图和行为就会徒劳无功了。

但是即使我们理解，可能还是会对难以预期的查普曼感到恐惧。恐惧和焦虑是人类心智中主要的心理状态。恐惧的背后是对确定性不断的渴求。我们对未知感到恐惧。人心对肯定的渴望，是根植于我们对无常的恐惧。

当你能够觉察不确定性，当你确信这些相关联的成分不可能保持恒常与不变时，就能生起无畏之心。你会发现，自己真正能准备好面对最坏的状况，同时又能容许最好的发生。你会变得高贵而庄严。这种特质能增强你的能力，不论是在工作、作战、谈和、组织家庭，或是在享受爱和情感关系。知道下个转弯处就有某件事等着你，接受从此刻起有无限的可能存在，你将学会运用遍在的觉性和预见的能力，如同英明的将军一般，胸有成竹，毫不惊慌。

对悉达多来说，如果没有无常，就不会有发展或进步。小飞象丹波（Dumbo）也理解这一个道理。小时候因为那对大耳朵被人排斥，它寂寞、沮丧，又担心被赶出马戏团。但是后来发现它的畸形能让它飞行，既独特又珍贵。它变得广受欢迎。如果它早一点相信无常，就不会在开始的时候受那么多苦。对无常的体认是个关键，让我们不再害怕身陷于某种情境、习气或模式，而永远无法逃脱。

男女关系是最多变，也是最能说明和合现象与无常的例子。有些夫妻以为他们能借着阅读书籍或婚姻咨询，来维持至死不渝的关系。知道男人来自火星，女人来自金星，只能化解婚姻不合的一些明显因缘。就某种程度来说，这些小小的了解也许能带来短暂的和谐，但却无法顾及婚姻和合关系中许多隐而不见的因素。如果我们能见所未见，也许就能享有完美的关系，或者从一开始就不会去发展关系。

将悉达多对无常的理解应用到男女关系上，让我们想到朱丽叶对罗密欧说的一句深刻话语中所描述的愉悦。她说："离别是如此甜蜜的忧伤……"离别，往往是男女关系中最为深刻的经验。每段关系最终都会结束，即使不是别的原因，也会由于死亡。如此一想，我们对每段关系的因缘就会更珍惜与理解。这在另一半罹患不治之症时更为强烈。没有天长地久的幻想，反而有意想不到的解脱：我们的关怀与爱心变得没有附带条件，而欢乐常在当下。当另一半来日有限时，我们会更自然也更满愿地付出爱和支持。

但我们常常忘记自己的来日一直都是有限的。即使理智上知道有生必有死，一切和合终将分散，我们的情绪状态还是常常会回到相信恒常的模式，完全忘记相互依存性。这种习气会造成各种负面的情况，像是偏执、寂寞、罪恶感等等。我们会觉得被欺骗、被威胁、被虐待、被冷落，仿佛这个世界只对我们不公平。

情人眼里出西施

悉达多并非独自离开迦毗罗卫国的。破晓之前，当家人和仆役都在沉睡时，他来到最信任的朋友——车夫迦那所休息的马厩。迦那看到悉达多没有侍从独自前来，他无言以对。在主人的指示下，他为悉达多最心爱的坐骑卡当卡上了马鞍。他们两人悄悄地穿过城门，无人知晓。走了一段距离之后，悉达多下了马，除下了所有的手饰、脚镯及太子华服，将这一切都交给了迦那，命令他骑着卡当卡回城。迦那请求让自己留下来陪伴悉达多，但是太子心意已决。他要迦那回去继续服侍王室。

悉达多要迦那带回口信，告诉家人不要为他担心，因为他即将踏上重要的旅程。此时，他所有的饰物都已经给了迦那，除了代表显赫、阶级与王室的最后一个象征——那一头美丽的长发。然后，他亲自将长发剪下，交给迦那，便独自离开了。悉达多步向了探索无常之旅。此刻的他，觉得花费这么多精力于美丽与虚华是很愚蠢的。他批判的并不是美丽与装扮本身，而是相信它们的本质是恒常的信念。

俗话说："情人眼里出西施。"这句话比字面上看来的更为深刻。美丽的概念是易变的，流行时尚的因缘不停地改变，倾心于流行时尚的人也不断地在改变。一直到二十世纪初，还有年轻女孩把脚绑成三寸金莲。人们把这种虐待视为美丽，甚至还有些男人闻到缠脚布的味道会产生情欲的快感。而现在的中国女性还得再经历另一种痛苦，她们要拉长小腿，以便看起来像 *Vogue* 杂志上的模特。印度女性丰腴的体态，就如阿旃陀石窟壁画上所描绘的那样丰满标致，现在却想要瘦成和巴黎模特一样骨感。默片时代的女星，嘴唇比眼睛小才受赞美，现在却流行大嘴以及像香肠一样的丰唇。如果下一个魅力偶像有蜥蜴唇和鹦鹉眼，那么所有那些把嘴唇整厚了的女人可能就要花钱整形缩唇了。

无常是好消息

　　佛陀不是一个悲观者，也不是末日论者，他是重视实际者，而我们却多是逃避现实者。当他说一切和合皆是无常，他并不认为那是坏消息，而是简单、科学的事实。根据你的观点，以及对这个事实的了解，无常可以是通往启发与希望、光荣与成功的大门。例如，全球暖化和贫穷是贪婪的资本主义条件下的产物，但这些不幸都是可以反转的。这就要感谢和合现象无常的本质。我们不用依靠神的旨意这种超自然能力，只需要单纯地了解和合现象的本质，就能扭转乾坤。当你了解现象，就能操纵它们，因而影响因和缘。你可能会很惊讶地发现，像是拒用塑料袋这样小小的一步，就能延缓多少全球暖化的问题。

　　我们能认清因缘的不稳定，就会了解自己有力量转化障碍，并且完成不可能的任务。生活中的各个层面都是如此。如果你现在没有一辆法拉利，你完全有可能创造出因缘而拥有一辆。只要世上有法拉利，你就有机会去拥有它。同样的，如果你想活久一点，可以选择不抽烟和多运动。合理的希望是存在的。而绝望，和它的反面——盲信一样，都是相信恒常的结果。

你不只可以改变外在的物质世界，也能改变内在的情绪世界。例如，经由放下野心，将焦躁的心转化，让它趋于平静；或者为人和蔼，乐善好施，以便营造好名声。如果我们都能训练自己去设身处地为他人着想，就能在家庭、邻里、国际间增长和平。

这些都是我们在世间法上如何影响和合现象的例子。悉达多也发现，即使最可怕的地狱与惩罚，也是和合而成，因此是无常的。地狱不是永远存在于地底下某处，而受惩罚者永远在那儿受折磨。它比较像是场噩梦。你梦到被一只大象践踏，这是由各种条件所产生的。首先，是你睡着了，其次，你可能有过与大象相处不愉快的经验。不管噩梦持续多久，在那段时间里，你是身处地狱。然后，因为有闹钟的因缘，或者只是因为睡够了，你醒了过来。那场梦就是暂时的地狱，而它和我们概念中真正的地狱，没有什么不同。

同样的，如果你仇恨某人并采取攻击或报复的行动，那本身就是地狱的体验。仇恨、政治操作和报复在这个世界上造就了地狱，因此我们看到比 AK-47 步枪还矮、还小、还轻的男孩，忙着从军而无暇游戏或庆生。这与地狱无别。由于因缘，我们有了这种地狱，因此我们也可以利用佛陀教导的爱与慈悲，对治愤怒与仇恨，来离开这个地狱。

无常的概念并非预言世界末日或天启，它也不是对人类罪恶的惩罚。它没有本具的正面或负面，只不过是事物和合的过程之一部分而已。我们通常只想要无常的一半过程。我们只要生而不要死，只要得而不要失，只要考试的结束而不要它的开始。真正的解脱来自领受整个循环，而不是紧紧抓住自己喜欢的部分。谨记因缘的变异与无常，不论是正面或负面的，我们就能善用它们。财富、健康、和平、名望，和它们的反面一样，都是暂时的。而且悉达多当然不会偏好天堂美景或天堂经验，它们也都是无常的。

　　我们也许不懂，为什么悉达多说一切和合事物皆是无常？为什么他不只说一切事物皆是无常就好？不提"和合"二字，只说一切事物无常，也是正确的。然而，我们要把握每个机会提醒自己这个和合本质，因而维系这句话背后的逻辑。和合本质是很容易理解的事，但它有许多层次，要深切了解它，就需要时时谨记在心。

　　这世上一切存在或运作的事物，一切想象和实体所构成的，一切心中所想的，甚至心的本身，绝对不会一成不变地存在。有些事情也许会持续你一生经验这么长，甚至可能延续到下一代，但是它们也可能消逝得比你预期的更早。不论如何，终究会变化是无可避免的。这和或然率或几率没有关系。如果你感到绝望，记住这一点，你就不会再有绝望的理由，因为让你绝望的原因也将会改变。凡事都会改变。澳洲成为中国的一部分，荷兰成为土耳其的一部分，不是不能想象的；你会致人于死或余生困在轮椅上，也不是不可能的。你有可能成为亿万富翁、全人类的救世主、诺贝尔和平奖得主或是证悟的人。

老沙弥的故事

从前有个老人出家，剃度的时候年岁已大，头发花白而相貌庄严。有位信徒依习俗供养僧众午餐。女施主不知道老人只是刚出家的沙弥，以为他是资深的和尚，因此安排他坐在上座，而且对他特别恭敬。习惯上，在午餐供养后会请一位和尚带领大家回向功德，并做简短的开示。一些年轻的和尚因为自己排行较前，对这位沙弥坐在上座感到不悦，决定让他来领众回向，好羞辱他一番。老人还来不及反对，虔诚的女施主就向他顶礼请求开示。惊慌之下，他说不出一句话来。年轻和尚高兴地看着他出糗。老和尚站起来，口中喃喃自语，重复说了几次"无知是苦"。女施主沉思他的话，想道："真是如此，无明是我们一切痛苦的根源。"经由如此不断思维，她终于得到证悟。这件事很快地传开，许多人也开始思维无明和苦，也都得到证悟。这位老和尚回到当年的女施主跟前，请求她教导，也因而获得证悟。

第二章

情绪和痛苦

经过多年的沉思和苦修，悉达多仍然坚定不移地要寻找痛苦的根源，以止息自己和他人的痛苦。他前往位于印度中部的摩揭陀国继续禅修。在途中，他遇见了一位名叫苏提亚的草贩，供养了他一把吉祥草。悉达多视此为一个吉祥的征兆：在古代的印度文化中，吉祥草被认为是清净之物。悉达多没有继续前行，决定留在当地禅修。他在附近的一棵毕钵罗树下找到一块平坦的石头，铺上吉祥草当坐垫。他静默地立下誓言，此身可烂，我可能化为尘土，但直到找到答案，我绝不起身（我今若不证，无上大菩提，宁可碎是身，终不起此座）。

当悉达多坐在树下沉思的时候，并非没人知道。魔王魔罗听到悉达多太子的誓言，感觉到他的决心的力量。魔罗无法成眠，因为他知道悉达多内在的潜能，能够使他的整个地盘陷入混乱。身为一个足智多谋的战士，魔王于是派遣了五个容貌最秀丽的女儿去诱惑太子，使他分心。当这些女孩（我们称她们为天女，apsaras）出发的时候，她们对自己魅惑的能力充满信心。但是一接近正在禅定的悉达多时，美貌却开始消失。她们变得干瘪老迈，身上长出肉疣，皮肤发出恶臭。悉达多丝毫不为所动。这些沮丧的天女回到父亲身边，魔王勃然大怒。竟然有人胆敢拒绝他的女儿！盛怒之下，魔罗召集了他的部下，组成了一支大军，配备了所有可能想象的精锐武器。

魔王的军队全力攻击悉达多。但是令他们惊愕的是，所有瞄准悉达多的箭、矛、石头和弹弩，一旦接近了他，都化成为一阵花雨。历经长时而无功的战事，魔王和他的军队精疲力竭，完全败北。最后，魔王来到悉达多面前，使出全部的外交手段，试图说服悉达多放弃他的追寻。悉达多说，经过了这么多世的试炼，他不可能放弃。魔王问他，我们如何能够确定你已经奋斗了那么久。悉达多回答，我无须确认，大地是我的见证。同时，他以手触地。此时，大地震动，魔王当场消失无踪。如是，悉达多获得了解脱而成佛。他终于发现了从根源止息痛苦的道路，不只为他自己，也为了所有的人。他最后对抗魔王的处所如今被称为菩提伽耶，而那棵树则被称为菩提树。

许多世代以来，这就是佛教徒母亲们说给她们孩子听的故事。

个人快乐的定义

问一个佛教徒"什么是人生的目的？"是不恰当的。因为这个问题暗喻在某一个地方，也许在一个洞穴之中或者在一个山巅之上，存在着一个究竟的目的。仿佛我们可以透过追随圣者、阅读书籍以及熟悉秘教修行，来解开这个秘密。如果这问题是假设在亿万年以前，有某个人或神设计了一个人生目的的图表，那么它就是一个有神论的观点。佛教徒不相信有一个全能的创造者，而且他们不认为生命的目的已经或需要被决定和定义。

对佛教徒比较适当的问题是"什么是生命？"就我们对无常的了解，这个问题的答案应该非常明显：生命是一个巨大的和合现象，因此生命是无常的。它是随时变化、短暂无常经验的集合。虽然有各式各样的生命形式存在，但其共通点是没有任何一个生命希望受苦。我们都想要快乐，无论是总统、亿万富豪，或是辛勤工作的蚂蚁、蜜蜂、虾子和蝴蝶，大家都想要快乐。

当然，在这些生命形态之中，痛苦和快乐的定义有极大的区别，即使在范围相对较小的人道之中，也是如此。对某些人痛苦的定义，是其他人快乐的定义，反之亦然。对某些人而言，只要能够生存下去便是快乐，对另外的人而言，拥有七百双鞋子是快乐。有些人，在臂膀上有个贝克汉姆模样的刺青就会快乐。当一个人的快乐取决于享有一片鱼翅、一根鸡腿或一根虎鞭时，快乐的代价是另一个生命。有些人觉得用羽毛轻搔是性感的，另一些人则偏爱奶酪磨碎器、皮鞭和链圈。英国国王爱德华八世宁愿娶一个离过婚的美国女子，也不要戴上大英帝国的王冠。

即使在个人身上，痛苦和快乐的定义也时有变动。一个轻佻的调情时刻，可能因为其中一人想要更认真的关系而突然变调，期待转为恐惧。当你是个小孩的时候，在沙滩上堆筑沙堡就是快乐。在青少年时期，看着穿比基尼的女孩和赤裸上身的男孩冲浪是快乐。在中年，金钱和事业是快乐。当你八十多岁的时候，收集陶瓷盐罐是快乐。对许多人而言，不断调适于这些无尽而又经常变化的快乐定义，即是"人生的目的"。

我们许多人从所处的社会学习快乐和痛苦的定义；社会秩序支配我们衡量满足的准则。这是一套共同的价值标准。来自世界两端的人，能够基于完全相反的快乐文化指标，却体验完全相同的情感——愉悦、厌恶或恐惧等。鸡爪是中国人的佳肴，法国人则喜爱把肥鸭肝涂抹在吐司上。如果资本主义从不曾存于世上，想象一下世界会变得如何。我们会很快乐地活在没有购物中心、没有豪华汽车、没有星巴克、没有竞争、没有贫富差距、享有全民健康保障的社会。而脚踏车会比悍马休旅车（Humvees）更有价值。然而，我们的欲求是学习而得的。十年前，在偏远的喜马拉雅王国不丹，卡式录放机是富裕的象征。逐渐地，丰田 Landcruiser 越野车俱乐部取代了录放机俱乐部，成为不丹繁荣与快乐的终极愿景。

这种把群体标准视为个人标准的习惯，在幼年时就开始形成。小学一年级时，你看到其他同学都有某种铅笔盒。你发展出一个"需求"，要有和其他人一样的铅笔盒。你告诉了母亲，而她是否为你买那个铅笔盒，就决定了你的快乐水平。这个习惯持续到成年。隔壁邻居有一台液晶电视或一辆崭新的豪华休旅车，因此你也要拥有同样的——而且要更大、更新的。渴望并竞相拥有他人所有的事物，也存在于文化层面中。我们常常对其他文化的风俗和传统，比自己的评价还高。最近，台湾有位教师决定蓄起长发，这在中国是个古老的习俗。他看起来高贵优雅，仿如一个古代的中国战士，但是校长却威胁他，如果他不遵从"规矩"——意即西式的短发，就要把他开除。现在他把头发剪得短短的，看起来好像被电击了一般。

目睹中国人为自己的文化根源感到难为情，令人讶异。但是在亚洲，我们可以看到更多诸如此类的优越／自卑情绪。一方面，亚洲人为自己的文化感到骄傲，但在另一方面，又觉得自己的文化有点令人反感或落后。几乎在所有的生活层面，他们都用西方文化来替代——举凡衣着、音乐、道德规范，甚至西方的政治体系，都是如此。

在个人和文化两方面，我们采取外来的和外在的方法，来获得快乐，克服痛苦，却不了解这些方法常常带来事与愿违的结果。我们的不适应带来了新的痛苦，因为我们不仅仍在受苦，而且更觉得从自己的生活中疏离，无法融入体制之中。

有些快乐的文化定义在某种程度上是有用的。一般来说，银行账户里有一点钱、舒适的住所、足够的食物、好穿的鞋子及其他基本的生活条件，确实能够让我们感到快乐。但是，印度的苦行僧（sadhus）和西藏走方的隐士之所以感到快乐，是因为他们不需要一个钥匙圈——他们不必恐惧财产会被别人偷走，因为根本没有什么东西需要锁起来。

社会化的快乐定义

在悉达多尚未抵达菩提伽耶，或打算跋涉至摩揭陀国之前，他坐在另外一棵树下达六年之久。长期以来，因为每日只吃几粒米，只喝几滴水，他变得消瘦憔悴。他不沐浴也不修剪指甲，成为其他共同苦修的寻道者之楷模。他严守戒律，不论当地的牧童如何用草搔他的耳朵，对着他的脸吹号角，都不为所动。但是，历经多年极端的苦行，有一天他了解到：这不是正确的，这是一条极端的道路，这只是另一个如同宫女、孔雀园和珠饰汤匙一样的陷阱。于是他决定从苦行的状态中起身，前往附近的尼连河（即现今的帕尔古河）沐浴。他甚至接受了一位名叫苏佳达的牧羊女所供养的鲜奶，此举令他的同伴大感震惊。据说，这些同修认为他是一个不良的影响，与他共处会妨碍修行，因此离弃了悉达多。

我们可以了解，为什么这些苦行者因为悉达多违背了誓言而离弃他。人类一直努力试图寻找快乐，不仅透过物质拥有，也透过宗教的途径。世界历史大部分是以宗教为中心。宗教以光明的道路和行为规范来号召大众，诸如爱你的邻人、修持布施和处世准则、静坐禅修、斋戒和奉献牺牲等等。然而，这些看似有益的原则，也可能变成极端而严苛的宗教教条，造成人们不必要的内疚和自卑。我们常常可见虔诚的信徒傲慢地鄙视其他宗教，完全没有一丝包容，用自己的信仰把文化或种族灭绝予以合理化。这种具毁灭性的信仰案例比比皆是，不胜枚举。

人类不仅仰赖有组织的宗教，也仰赖世俗智慧——甚或政治口号——来获得快乐，去除痛苦。美国总统罗斯福曾说："如果我必须在正义与和平之间做一个选择，我选择正义。"但究竟是谁的正义？我们应该遵循哪一个人对正义的诠释？极端主义只不过是选择一种正义，而排除所有其他的正义。

举另外一个例子来说，我们很能了解儒家的智慧吸引人之处，例如尊敬顺从长辈，家丑国耻不外扬等等。这些原则或许是明智的，但是在许多情况下，这些规则却造成了极端负面的结果，例如控制言论和镇压反对意见。举例来说，执著于保留颜面和顺从长辈的思想，导致了长久以来的欺骗和谎言，从对待邻居到对待整个国家，都是如此。

有了这样的历史背景，许多亚洲国家根深蒂固的伪善，就不令人感到惊讶了。时至今日，古老的封建制度几乎没有任何改变。法律和司法是设计来维护和平、创造和谐社会的，但是在许多情况下，司法体系反而对作奸犯科和富人有利，而贫困和无辜的人却因为不公平的法律而受苦。

我们人类在追求快乐、止息痛苦上，用尽了无数的方法和工具，远超过用在任何其他嗜好和职业上的。因此我们拥有电梯、笔记本计算机、充电电池、电动洗碗机、自动弹出完美吐司的烤面包机、狗粪吸尘器、电动鼻毛修剪器、温热坐垫马桶、奴佛卡因麻醉药（Novocaine）、行动电话、威而刚、整铺地毯……然而不可避免的，这些便捷也制造了等量的头痛。

各个国家在更大的尺度上追求快乐、止息痛苦，为了领土、石油、空间、金融市场和强权而征战。他们发动先发制人的战争，来避免预期的痛苦。就个人层面而言，我们也一样地接受预防性的医疗照护，服用维他命，找医生注射疫苗及抽血检查，以及全身计算机断层扫描。我们不断地寻找痛苦的征兆。而一旦找到，就马上寻求疗方。每一年，日新月异的科技、疗法和自助书籍，都试图为痛苦提供长久的解决方案，并且还想根除所有的问题。

悉达多当时也是在试图根除痛苦。但他不是梦想着诸如展开政治改革、移民到另一个星球或创造世界新经济；他甚至没

有想到要创造一个宗教，或发展一套能带来安详与和谐的行为准则。他以开放的心灵来探索痛苦，透过勤奋不懈的沉思，悉达多发现，追本溯源，导致痛苦的是人的情绪。事实上，情绪即是痛苦。无论如何，直接或间接的，一切情绪都生起于自私，也就是说，它们都与执著于自我有关。更进一步，他也发现，情绪虽然看似真实，但不是一个人本具存在的一部分。它们不是与生俱来的，也不是某个人或某个神强加在我们身上的诅咒或植入。当某些特定的因与缘聚合在一起的时候，情绪就会生起，例如当你突然认为某个人在批评你、忽视你，或者剥夺你的利益时。然后，相对应的情绪就会接着生起。在接受、陷入这些情绪的当下，我们就失去了觉知和清明。我们"被鼓动"了。因此悉达多发现了他的解决方法——觉知。如果你认真地想要根除痛苦，你必须培养觉知，留心你的情绪，并且学习如何避免被鼓动起来。

如果你像悉达多一样地检视情绪，试图找出它们的起源，你将会发现它们根植于误解，因此根本上是错误的。基本上，所有的情绪都是一种偏见，在每一种情绪之中，都存有分别心的成分。

举例来说，一个火把以某种速度旋转，就会看起来像个火圈。孩童或甚至一些成年人在马戏团里见到这种景象，都会觉得有趣而迷人。孩子们不去区别手和火把上的火，他们认为所见的是真实的；视觉错觉所形成的火圈让他们兴奋不已。同样的，我们许多人过度关心自己身体的外观和舒适。当我们看着身体的时候，不把它们当做各个分开的部分，如分子、基因、血管及血液来看待。我们把身体视为一个整体；更有甚者，我们还预设它是一个真实存在的有机体，称为身体。由于确信身体是真正存在的，我们先是希望拥有平坦的腹部、细致的双手、壮硕的身形、黝黑英俊的面貌或曲线玲珑的身材。接着，我们迷恋它，把钱投资在健身房会员卡、润肤霜、纤体茶、南滩节食法（South Beach Diet）、瑜伽、仰卧起坐和熏衣草精油上面。

　　如同被火圈所吸引、激动甚或惊吓的孩童一般，我们对自己身体的外观和健康状态有着种种的情绪。当我们看到火圈时，成年人通常都知道那只是一个形象而已，不会被鼓动。理性告诉我们，火圈是由组合的部分所造成——一只转动的手握着一个燃烧的火把。没有同情心的大哥大姊们可能会傲慢地嘲笑这个小弟或小妹。但是身为成人的我们看得到火圈，因此能够了解孩子们为何如此入神，特别如果是在夜间，加上舞者、迷幻音乐和其他动作伴随表演的时候，更令人目眩神迷。甚至连我们成年人，即使知道这虚幻的本质，也可能会兴奋起来。

根据悉达多的观点，这种了解就是慈悲的种子。

无法计数的各种情绪

随着禅定的精进，悉达多开始了悟所有现象的虚幻本质。他以此了悟，回顾了过去的宫廷生活、宴会及孔雀园、他的朋友与家人。他了解到所谓的家庭恰如客栈或旅馆，不同的旅客进驻，有了短暂的联系。最终，这些聚集的人们在死亡来临或更早时就会各散东西。当他们在一起的时候，或许会培养出信任、责任、爱，以及对成败的共同价值观，各式各样的戏剧都因之产生。

悉达多能够清楚地看见，家庭、爱和团圆的想法，以及宫廷生活的一切迷人现象，很容易让人们深陷其中。他看见了其他人所见不到的，恰如成年人见到火圈一般，知道这一切只是幻象、和合，不具本质的部分而已。但是如同仁慈的双亲，悉达多不因为孩子们的迷惑而自觉骄慢或高人一等，反而看见这个轮转之中，没有恶，没有善，没有过失，因此也没有责怪，这使得他的解脱，带有极大的悲心。

看透了宫廷生活的表象，悉达多现在能够看见自己的身体是不具本质的。在他的眼中，火圈和身体具有相同的本性。如果有人相信其中之一真实存在——不论是短暂的或恒常的——那么他的信念就是根源于误解；如此，便是失去了觉察，也就是佛教徒所说的无明。我们的情绪，就是从这无明所生起。从失去觉察到情绪生起的过程，可以用四真谛完全解释。我们接下来会谈到。

❖　　　❖

这个世间存在着无以计数的各种情绪。每一刹那，无数的情绪因为我们的误判、偏见和无明而产生。我们熟悉爱与恨、罪恶与无辜、虔诚、悲观、忌妒和骄慢、恐惧、羞愧、悲伤和喜悦，但是情绪不只这些。有些情绪在某些文化中有字眼可以形容，而在其他文化之中却没有，因而被视为"不存在"。根据佛教徒的说法，还有无数的情绪尚待命名，甚至有更多超过我们逻辑世界的定义能力的情绪。有些情绪看起来是理性的，但大多数是非理性的；有些似乎平和的情绪，却根源于攻击性；有些则是几乎察觉不到的。我们可能认为某个人丝毫不动感情或漠不关心，但这本身也是情绪。

情绪可以是幼稚的。举例来说，你可能会因为认为别人应该生气却不生气，而感到生气。或者某日，你可能会因为伴侣的占有欲太强而不悦；但是隔天你又因为她的占有欲不够强而不快。有些情绪可以令旁观者发笑，例如英国查尔斯王子对当时的情妇卡米拉（Camilla Parker — Bowles）说，他转世为她的卫生棉条也无妨。有些情绪展现为傲慢自大，例如住在白宫的人把他们对于自由的概念强加于世界。把个人的观点通过威力、勒索、诈欺或隐微的操控，强加于他人身上，也是我们的情绪活动的一部分。基督教徒和伊斯兰教徒热衷于劝导异教徒改信，让他们免于被地狱之火和诅咒所毁灭，而存在主义者则积极地想要把有信仰的人转变成异教徒。情绪有时也以荒谬的傲慢呈现，例如印度人效忠于英国殖民者所塑造出来的名为印度的国家。当美国总统布什在林肯号航空母舰的舰桥上，宣布战胜伊拉克时，许多美国人感受到一种莫名的自我正义感，虽然事实上战争才刚开始。拼命想要获得重视也是一种情绪，看看马来西亚、中国台湾和中国大陆较劲，看谁能够建造出世界最高的大楼，仿佛那是性能力强大的证明。情绪也可能是病态而扭曲的，因而导致恋童癖和恋兽癖。有人甚至曾在网络上刊登广告，征求自愿被杀害、吞食的年轻男子。当他被逮捕时，他坦承曾收到了六个人的回应，并且真的杀害并吞食了其中一人。

直探根源：（不存在的）自我

所有这些不同的情绪及其结果，都来自于错误的理解，而这个误解来自一个源头，也就是所有无明的根源——执著于自我。

自我只是另一个误解。当我们看着自己的身体（色）、感受（受）、想法（想）、行为（行）和意识（识）的时候，我们通常制造出一种自我的概念。人们受制约，把这种概念视为恒常而且真实的。举起手来，我们认为我就是这个形体。我们认为我拥有这个形体，这是我的身体。我们认为，形体就是我，我很高。我们指着自己的胸膛，认为我住在这个形体之中。我们对于感受、觉知和行为也这么想。我有感受，我是我的觉知……但是悉达多了悟到，不论是在身体里或外，都找不到一个独立存在的实体，足以被称为自我。如同火圈的视觉错幻一般，自我也是虚幻的。它是谬误的，基本上错误，而究竟上不存在。但是如同我们会被火圈所迷惑一般，我们也全都被自我所迷惑了。执著于谬误的自我，是无明的荒谬行为。它不断地制造更多的无明，导致了各种痛苦和失望。

当悉达多发现没有自我，他也发现没有根本存在的邪恶，而只有无明。他特别地深思无明如何创造出自我的标签，将它附着于完全没有根基的和合现象上，加以重要性，然后拼命地去保护它。他发现，这个无明直接导致痛苦和伤害。

无明单纯的就是不了解事实，或对事实了解不正确，或认识得不完整。所有这些形式的无明，都导致误解和误判，高估和低估。假设你正在寻找一个朋友，忽然看到他在远方的田野中，一走近，却发现你误把一个稻草人当做是他了，你一定会感到失望。这并非有个恶作剧的稻草人或你的朋友试图偷偷误导你，而是你自己的无明背叛了你。任何源自无明所做的行为，都是冒险。我们在不了解或不完全了解的情况下行动，就不会有信心。我们根本的不安全感因此而生起，创造出所有这些有名或无名、已知或未知的各种情绪。

我们自以为可以爬到阶梯的顶端，或自以为搭乘的飞机即将顺利起飞而且会平安抵达，唯一理由是我们在享受着无明的喜乐。但是这不会长久，因为无明的喜乐只不过是不断高估对自己有利的可能性，以及低估障碍而已。当然，因缘会和合，事情会如愿发生，但是我们却把这种成功视为理所当然。我们把它当做证据，认为事情就该如此，认为我们的假设是有根据的。然而，这样的假设只不过是喂养误解的食物。每一次我们做出一个假设——举例来说，我们认为了解自己的配偶——我们就会像打开伤口一般地暴露自己。任何时刻，可能会推翻我们假设的无数个状况之一会突然出现，在那上面撒盐，使我们退缩哭嚎。

习气：自我的盟友

悉达多了悟到自我并非独立存在，自我只不过是一个标签，因而执著于自我就是无明，这可能是人类历史上最大的发现。然而，虽然自我这个标签或许毫无根据，要摧毁它却不是一个简单的任务。执著于这个称做自我的标签，是所有的概念中最难以破除的。

悉达多摧毁魔王魔罗的故事，就是他发现自我是谬误的象征。我们没有必要相信或不信欲界魔王是否真实存在；魔罗只不过是悉达多的我执。故事中，魔罗是个英俊威武、无役不克的战士，这个比喻相当适切。自我，如同魔罗一般，威力强大且贪得无厌，自我中心且虚伪欺诈，贪求众人目光、机敏伶俐而且爱慕虚荣。我们很难记住，自我如同火圈的幻象一般，是和合而成，不独立存在而且善于改变。

习惯让我们软弱，因而无法对抗自我。即使是微不足道的习惯，都十分顽强。你或许知道，吸烟对健康有多么不利，但那不一定能说动你戒烟，尤其当你喜欢吸烟这个仪式时：纤长的烟身、红亮的烟头、缭绕指尖的轻烟。然而，自我的习惯并不只是像烟瘾那么简单。从无法追忆的时候以来，我们就一直耽溺于自我。它是我们认同自己的方式。它是我们的最爱，但有时候又是我们的最恨。我们以最大的努力试图去证实的，就是它的存在。几乎我们所做的、所想的或所拥有的每一件事物，包括我们的心灵道路，都是为了要确认它的存在。是这个自我，害怕失败，渴望成功；害怕地狱，渴望天堂。自我厌恶痛苦，却喜爱引起痛苦的原因。它愚蠢地以和平之名发动战争。它希望觉醒，却厌恶觉醒的道路。它希望做社会主义的工作，却要享受资本主义的生活。当自我孤独的时候，它会渴望友谊。它对其所爱的占有欲，会展现为激情，甚至可能导致侵略。它的假想敌——例如设计用来征服自我的心灵道路——常常被它收买，并且被吸收成同伙。它要弄诡计的技巧，几乎无懈可击。它像桑蚕一般，把自己织进茧中，但它不像桑蚕，因为不知道如何找到出路。

与自我作战

在菩提伽耶的战役之中，魔罗使出各式各样的武器来攻击悉达多。他特别射出了大量特殊的弓箭。每一支箭都拥有毁灭的力量：引发欲望之箭、引发心智昏沉迟钝之箭、引发骄慢之箭、引发冲突之箭、引发自大之箭、引发盲目迷恋之箭，以及引发丧失觉知之箭等等。我们在佛教经典之中读到，在每一个人心中，魔王仍然未被击败——他随时对我们发射各种毒箭。当我们被魔罗的毒箭射中时，先是变得麻木，然后毒性慢慢地扩散，摧毁我们。当我们失去觉知，执著于自我之时，那就是魔罗的麻药。逐渐地，毁灭性的情绪必然随之而来，渗透我们全身。

当我们被欲望之箭击中的时候，一切常识、沉着和清明都不见踪影，而假尊严、堕落和不道德就缓缓渗入。中了毒的人会为了得到想要的东西，无所不用其极。一个被贪爱击中的人，可能会认为在街上拉客卖春的河马性感，而让枯坐在家中的美人痴等。如同扑火的飞蛾和上钩的鱼一般，世上无数的人都曾因贪恋食物、声名、赞誉、金钱、美貌和崇敬，而堕入陷阱之中。

贪爱也可能表现为对权力的欲望。执著于这种贪爱的领导人，对于他们的权力欲望如何地摧毁世界，完全视若无睹。如果不是因为某些民族对财富的贪婪，高速公路上早就挤满了太阳能动力车辆，而且不会有饥荒。如此的进展在科技和实质上是有可能的，但显然在情绪上不可能。与此同时，我们又对不正义感到不满，怪罪于乔治·布什等人。我们被贪婪之箭击中，看不到事实上是自己的欲望——例如拥有廉价的进口电子产品、奢华的悍马休旅车等便利——在支持着这场正在摧毁世界的战争。每天在洛杉矶的尖峰时段，道路上堵满了成千上万辆只有一人驾驶的车辆，而共乘车道却空荡荡的。即使是那些打着"不为石油流血"的抗议口号而示威游行的人，也仰赖石油来进口奇异果，制作他们的水果冰沙。

魔罗的弓箭制造了永无止境的冲突。纵观历史，那些被认为超越欲望，作为正直与德行典范的宗教人物，也一再地被证实对权力有着相同的饥渴。他们用地狱的威胁和天堂的承诺来操控信徒。今天，我们看到政客为了操纵选举和争取民众支持，已经到了可以用战斧导弹轰炸无辜国家而毫不手软的地步。只要赢得选举，谁在乎是否赢了战争。其他政客假装神圣地吹捧宗教、让自己挨枪、制造英雄、假造灾难，全都是为了满足他们对权力的欲望。

当自我充满骄慢的时候，会以无数的方式化现——如心胸狭窄、种族歧视、脆弱、害怕被拒绝、害怕受伤害、麻木不仁等等。出于男性的骄慢，男人压抑了过半数人类——女性的能力和贡献。在求偶期间，双方都各自表现出骄慢，不断地评估对方是否配得上他们，或者他们是否配得上对方。

豪门贵族为了一段不知是否会长久的婚姻，在为时一天的婚礼中挥霍；而在同一天，同村的人正因为饥饿而奄奄一息。一个观光客赏给替他推动旋转门的门童十美元来炫耀自己，而下一分钟，却为了一件五美元的 T 恤，和努力养家糊口的小贩讨价还价。

骄慢和自怜息息相关。我执纯粹是一种自我纵容，认为自己的生命比其他人的都更艰难更悲哀。当自我发展出自怜的时候，便让其他人生起悲悯的空间消失了。在这个不完美的世界中，许多人都曾经受苦，并且仍在受苦。但是某些人的痛苦却被归类为比较"特殊的"痛苦。虽然确切的统计数字无法取得，但是我们可以相当确定，欧洲人殖民北美所屠杀的原住民人数，不少于其他有记载的种族灭绝之死亡总数。然而，并没有一个广泛使用的词汇，例如"反犹主义"（anti-Semitism）或"大屠杀"（Holocaust），来形容这个难以想象的屠杀。

由斯大林和卢旺达胡图族人所主导的大屠杀，也没有可辨识的标签，更不用说精致的博物馆、为了复仇而提出的法律控诉，以及没完没了的纪录片和剧情片。

还有一种归属于某个学派或宗教的骄慢。基督教徒、犹太教徒和伊斯兰教徒都相信同一个上帝，就某种意义而言，他们是兄弟手足。然而，由于这些宗教各自的骄慢，以及各自都认为自己才是"正确"的宗教，所导致的死亡人数至今已经超过两次世界大战罹难人数的总和。

种族主义从骄慢的毒箭中溢出。许多亚洲人和非洲人都指控西方的白种人是种族主义者，但是在亚洲，种族主义也同样的根深蒂固。在西方国家，至少有法律来对抗种族主义，并且会公开地加以谴责。一个新加坡女孩，却不能带她比利时籍的丈夫回家会见家人。在马来西亚，中国裔和印度裔人士即使已经在当地定居数个世代，也无法取得"土地之子"（Bhumiputra，也就是马来人）的身份。许多在日本的第二代韩国人，仍然不能归化成为日本人。虽然许多白种人领养有色人种的小孩，但是亚洲的富裕家庭领养白种小孩的可能性并不高。许多亚洲人嫌恶这种文化和种族的融合。我们不禁会怀疑，如果情势逆转，数百万的白种人必须移居到中国、韩国、日本、马来西亚、沙特阿拉伯和印度，亚洲人会作何感想。如果这些移民建立起自己的小区，在当地谋职，从老家进口新娘，世世代代说自己的语言，拒绝使用地主国的语言，还外加支持祖国的宗教极端主义的话，会是什么状况。

忌妒是魔罗的另一支箭。它是最强大的失败者情绪之一。它毫无理性，而且制造荒诞的故事来让你分心。它会在最出其不意的时刻突袭，甚至可能在你欣赏交响乐的时候。虽然你从来未曾想过做个大提琴家，甚至从未摸过大提琴，但是你可能对那个无辜、素未谋面的大提琴演奏家开始嫉妒起来。只因为她的才华洋溢，就足够让你的心中毒。

世界上多数人都嫉妒美国。许多宗教和政治狂热人士揶揄批评美国，称美国人是"魔鬼同路人"和"帝国主义者"，这些人会为了尚未到手的绿卡而卑躬屈膝，否则就是早已经拥有一张。出于纯粹的忌妒，而且常常是受到媒体的诱导，社会大众几乎总是批判任何成功的人或事，不论他是在金融、体能或学术上的成功。一些新闻记者声称是在捍卫劣势和弱势的人们，但是常常不敢指出一些"劣势族群"其实是狂热分子。这些新闻记者拒绝揭露任何弊端和罪行，而极少数直言的，却要冒着被诬蔑为极端主义者的风险。

魔罗想要争取更多追随者，因而聪明地鼓吹自由，但是如果有人真的行使自由，他不一定会喜欢。基本上，我们只想要让自己，而不想让他人拥有自由。如果我们真的行使所有的自由，就不会去参加任何派对了。这个所谓的自由和民主，只不过是魔罗另一个控制的工具而已。

那么爱呢？

有人或许会认为，并不是所有的情绪都是痛苦的——比如爱、喜悦、创意的启发、虔诚、狂喜、和平、团结、满足、慰藉等情绪呢？我们也认为在诗词、歌谣和艺术上，情绪是必要的。我们对于痛苦的定义不确定而且相当有限。悉达多对于痛苦所下的定义却更广泛，也更具体、更清晰。

某些种类的痛苦，例如嗔恨、忌妒和头痛，具有明显的负面性质，而其他的一些痛苦则比较幽微。对于悉达多而言，任何具有不确定和不可预测性质的事物，即是痛苦。举例来说，爱或许是愉悦而令人满足的，但是它不会凭空独立地出现。它得依赖某个人或某件事物，因此是不可预料的。一个人的爱最少需要依赖一个对象，因此就某种意义而言，他就常受束缚了。而其他许多隐藏的状况更是数不清。因此，为了忧郁的童年而责怪父母，或为了父母的不睦而自责，都是徒劳无益的，因为我们无法察觉许多隐藏其中、相互依存的因缘。

有一个不容易翻译的佛教谚语，大致上可以这么说：一切朗旺（rangwang）都是快乐的，而一切贤旺（shengwang）都是痛苦的。"朗"指"自我"，而"旺"意指"力量"、"权利"或"资格"，而"贤"指"他人"。广义而言，快乐的定义是，一个人拥有完全的控制、自由、权利、安逸，没有障碍，没有束缚。这意指有选择的自由或不选择的自由，能安然地积极活跃，或安然地从容悠闲。

有些事情我们能做，而将世界扭转成于己有利，例如，服用维他命让自己变得强壮，或喝一杯咖啡来提神。然而我们无法让世界保持静止不动，好让另一场海啸不会发生。我们无法阻止鸽子去撞击挡风玻璃，也无法控制高速公路上的其他驾驶者。我们人生的一大部分，是在努力让其他人高兴，主要的目的是为了让自己感到舒适。和一个老是发脾气的人生活在一起，不是一件美好的事情；但是，我们无法让另一个人的情绪永远保持昂扬。我们可以尝试，甚至有时候会成功，但是这样的操控需要大量的维修和保养。只在恋爱初期说一次"我爱你"是不够的。你必须要做正确的事情——送花、关怀，一直到最后。只要你一次没做到，你所建构的一切都可能会分崩离析。而有时候，即使你关怀备至，你的对象也可能会误解，可能不知道如何接受，也可能完全不接受。一个年轻男子期待着和他的梦中情人共享一顿烛光晚餐，想象那个夜晚将如何开展，他将如何赢得她的芳心；但是，那只是他的想象，他的猜测。不论有没有依据，都只是一个猜测而已。基本上，我们无法永远百分之百准备妥当。因此，我们的障碍和对手只需要做百分之一的准备，就能够造成所有的伤害。

我们或许会认为，自己不是真正地在受苦。即使是在受苦，也没有那么糟糕。我们不是活在贫民窟中，或在卢旺达被屠杀。如果这种态度来自真正的知足和珍惜拥有的事物，那么在某种程度上，这种珍惜悉达多会认为是可取的。但是，我们鲜少真正地满足；我们的心里有一种永不休止的唠叨，想要从生活中获得更多，而这种不满足就导致了痛苦。

悉达多的解答是——培养对情绪的觉察。如果情绪正在生起的时候，你能够有所觉察，即使只是一点点，就能够限制它们的活动；它们变成像有监护人在旁的青少年。有人在监视着，魔罗的力量就会减弱。悉达多没有被毒箭所伤，因为他觉察到这些只不过是幻象。同样的，我们自己强大的情绪，也可以变成像花瓣一般地不具杀伤力。当天女接近悉达多的时候，他清楚地了解，她们如同火圈，只是和合而成的，因此她们失去了诱惑力，无法动他一丝一毫。同样的，只要了解我们所欲求的对象事实上是和合而成的现象，就能破除诱惑的魔咒。

当你开始注意到情绪所能够造成的损害，觉知就会开始发展。当你有了觉知——举例来说，如果你知道自己正站在悬崖的边缘——你就会了解在面前的危险。你仍然可以继续前行；

带着觉知在悬崖上行走不再那么恐怖，事实上，它反而是非常刺激的。不知才是恐惧的真正根源。觉知不会妨碍你的生活，反而让生命更加充实。如果你正在享用一杯茶，而且了解短暂事物的甘与苦，你将能够真正地享受那杯茶。

第三章　一切是空

悉达多证悟后不久，他的话语，我们所称的"法"（dharma），开始深入印度各阶层的生活。它超越了种姓制度，吸引了大众，不分贫富。公元前三世纪的阿育王，原是一位残酷的战将及暴君，曾经为了巩固政权，不眨眼地杀害他最亲近的亲人。然而甚至连阿育王，最终都在法中找到真理，成为一个爱好和平的人，并且被认为是在佛教历史上最具影响力的护持者之一。

由于众多如阿育王一般的护持者，佛法得以持续兴盛，跨出印度疆界，传播四方。在公元第一世纪左右，距菩提伽耶一千多公里，在西藏的一个叫恰格叉的小村落，另外一位具有非凡潜能的凡人出生了。他的童年境遇悲惨，于是这位迷惑的年轻人学会了巫术。为了报仇，他杀害了数十位亲戚及邻居。事发后他逃亡，遇上了一位叫马尔巴的农人。马尔巴是伟大的佛法老师兼大翻译师，教导了他现象的本然以及生活的方式，如同悉达多所曾教导的一般。这位年轻人被转化了。他就是密勒日巴，西藏最有名的瑜伽圣者之一。直到今天，他的歌咏和生平故事仍然启发许许多多的人。他的智能遗产，历经老师和弟子代代相传，直至今日，不曾间断。

密勒日巴教导我们：悉达多话语不像我们为了消遣或寻求刺激而翻阅的其他哲学论述，读完就放回书架。佛法事实上是可以实践、可以应用到日常生活上的。密勒日巴的第一代弟子中，有位聪慧的学者，名叫惹琼巴。虽然密勒日巴劝他：修学并重比光是研读书籍来得重要，惹琼巴还是前往印度，到当时伟大的佛教哲学学院，立志要接受正统的教法。事实上惹琼巴也追随了许多印度大学者及圣者，并且勤奋学习。多年之后，当他回到西藏，老上师密勒日巴来到一处空旷的平地迎接他。他们相互问候，正在那儿讨论惹琼巴的研习时，忽然一阵狂猛的冰雹自天而降，旷野中无处可躲，密勒日巴瞧见地上不远处有一个牦牛角，马上就躲到里面去了——牛角并没有变大，而密勒日巴也没有变小。在牛角内，密勒日巴吟唱了一首歌，让惹琼巴知道在牛角中空间还大得很……如果这位弟子了悟空性的话。

你也许会认为密勒日巴的牦牛角只是个童话故事。或者，如果你是容易轻信的那种人，可能会认为那是西藏瑜伽士所表演的一种法术。但这两者都不是，我们往下读就会知道。

抓住空性

悉达多征服了魔罗和他的魔军，证悟了本具存在的空性。他了解了我们所见、所闻、所感、所想、所知的一切存在，纯粹只是空性，而我们不过将某种"真实性"附加或标示于其上而已。人们将世界标示或理解为真实，是来自于强烈的个体与集体的习气——我们所有的人都这样做。这个习气如此地强大，而空性的概念对我们而言又是如此地无趣，因此几乎没有人愿意去追求悉达多那样的了悟。相反的，我们恰如在沙漠中走失的旅人，瞧见远处有生气盎然的绿洲；这绿洲只是热气在沙上的反射而已，然而，由于绝望、饥渴与期待，这位迷失者把它看做是水。他用尽了力气，走到那儿，才知道这是海市蜃楼，于是极度失望。

纵然我们不认为自己这么绝望，而且相信自己是受过教育、正常、清醒的，但是当我们看见及感受一切都真实存在时，我们的行为就如同那位沙漠中的迷失者。我们急切地想要找到真实的伴侣关系、安全感、表扬、成功，或只是安详宁静。我们甚至能抓到与欲望相似的东西。但就像那位迷失者，当我们依赖外在的实体性时，终究会失望。事物并不如其所显现——它们是无常的，而且不完全在我们的掌控之中。

如果我们像悉达多一样确实地去分析，就会发现诸如形体、时间、空间、方向、大小等附加的标签，都很容易被解构。悉达多悟到，甚至自我都只存在于相对的层次，恰如海市蜃楼一般。他的体悟，终止了期待、失望与痛苦的循环。在证悟的时刻，他自忖，我已找到一条深奥、安详、非极端、清晰、满愿，有如甘露一般的道路。然而，如果我想表达它，如果我想教给他人，没有人有能力听闻了解。因此我将留在林中，安住于此祥和状态之中。据说，天王因陀罗和梵天听到了悉达多的计划，现身恳求他不要退隐林中，请他为众人说法。他们说，虽然不见得每个人都能了解你所有的教法，但是有少数的人可能会了解，能帮助这些少数的人，就非常值得了。

悉达多尊重他们的请求，于是出发前往瓦拉纳西（Vārānasi）。在当时，恒河边上的瓦拉纳西就已经是知识分子和思想家聚集的伟大城市了。当悉达多到了靠近瓦拉纳西附近的鹿野苑，遇见了当初由于他破了誓言，喝了苏佳达供养的羊奶而离他而去的伙伴们。他们看到悉达多远远走来，就共同决定不理会他，不跟他打招呼，更不用说站起来对他顶礼。他们讥讽说，那个骗徒来了。然而，对一位如悉达多一般已经了悟空性者，诸如赞誉及批评、尊重及藐视、好与坏的概念全都不重要。这些都是薄弱的批注，因此不必认为它们是实在的而加以反应。因此悉达多完全不自负、不迟疑、也不骄慢地走近他们。由于他毫无自我意识，步伐如此庄严，这五位禅修者不由自主地站了起来。悉达多于彼时彼地，给了第一个开示，而这些过去的同修，则成为他的首批弟子。

我们有限的逻辑

悉达多认为教法不易，是千真万确的。在这个被贪婪、骄傲和物质主义所驱动的世界里，即使只是教导爱、慈悲、利他等基本原则都非常困难了，更不用说空性的究竟实相。我们被短视的想法所困，被现实性所囿限。对我们而言，能够掌握而且即刻有用的东西，才值得我们投入时间和精力。以这种条件看来，佛陀所定义的空性似乎完全无用。我们可能会这么想——思索现象世界的无常及空性有什么益处？空性能带来什么利益？

以有限的理性，我们对什么是有道理的，什么是有意义的，有一套定论——而空性却超越了这个限制。这似乎是由于人的心智以一种不恰当的逻辑系统在运作，因此纵然同时有着无数其他逻辑系统可供使用，空性还是无法装进我们的脑袋。我们的操作是总以为这一刻之前有数千年的历史，而假如有人告诉我们整个人类进化就在啜一口咖啡的瞬间发生，我们就无法了解。同样的，当读到佛教经典上说地狱的一天等同于五百年，我们会想是这些宗教家试图恐吓我们顺服。然而，想象和你的挚爱共度一周的假期——时间像弹指般就消逝了。而与罪犯一同关在牢里过一夜，就像度日如年。如此去感受，时间也许就不那么确定了。

有些人可能容许一点点未知进入我们的思维系统，给予神通、直觉、鬼魂、灵性伴侣一些空间，但是我们绝大部分依赖黑白分明、有科学基础的逻辑。有少数所谓的"天才"可能有勇气或技艺来超越习俗，而只要他们的观点不是太过分，还可能用艺术家之名得到认同，像达利（Salvador Dali）等人。还有一些闻名的瑜伽士，他们故意逾越一点点，因而被尊为"神圣的狂人"。但若你真正超越了能被接受的范畴，如果你完全接纳空性，人们很可能认为你不正常、疯狂及不理性。

然而悉达多并非不理性，他只是明确地指出一般的、理性的思维是有限的。我们不能或不愿超越我们自己的舒适区去了解。用昨日、今日、明日这种线性的概念来操作，比说"时间是相对的"，来得实用得多。我们没有被设定成能这么想：我能不改变大小或形状而进入那牦牛角。我们不能破除大和小的概念；相反的，我们一直被世代传下来的安全而狭隘的观点所局限。然而，当这些观点被审视时，却都站不住脚。举例来说，这个世界如此依赖的线性时间观念，无法说明时间没有真正的起始也没有终止的事实。

我们用这种充其量只能说是不准确的理性，将事物度量或标示为真实存在的。在我们认证的过程中，功能、延续性及共识这三者扮演了重要的角色。我们认为如果某个事物有功能——举例说，你的手似乎有拿着这本书的功能——那么它一定以一种恒常、究竟、有效的方式存在。一只手的照片就不能有相同的功能，所以我们知道它不是真正的手。类似的，如果某个东西似乎有个持续的质量——例如我们昨日见到一座山，而今天它还在那儿——我们确信它是"真的"，而且明天、后天还会在那儿。而当其他人确认他们也见到同样的东西时，我们就更加确信它们是真实存在的。

当然，我们并非随时随地都有意识地在推论、确认、标示事物的真实存在——这是在我真实存在的手中的一本真实存在的书——我们是在潜意识相信这世界确实存在之下来操作，而这影响了我们日常生活每一刻的思想及感受。只有在极少的状况下，当我们照镜子或看到海市蜃楼时，才认为有些东西只是表象而已。镜中并无血肉，海市蜃楼中并没有水。我们"知道"它们不是真的，它们没有本具存在的本质。这一类的理解，本来可以带我们更深入，但我们只停留在理性心智所允许的范畴。

　　因此当我们听到一个人不改变尺寸，就可钻入牦牛角中时，我们没有太多选择——我们可以很"理性"，认为这根本不可能而驳斥它；或者我们引用某种对法术的神秘信仰或盲目崇拜而说，当然，密勒日巴是多么伟大的瑜伽行者，当然他能这么做，甚至还不只这些呢。这两种见解都是扭曲的，因为否认是一种低估，而盲信则是一种高估。

昨日之河流：接受部分逻辑

　　经由不停的思索，对于这些惯用的预测、理性化及贴标签，悉达多清晰地看到了它们的错误。当然，在某种程度上，这些习惯是行得通的——我们的世界似乎是根据这些习惯在运作。当我们人类谈到某个东西真正而确实存在时，会说它是确定、非想象、真实、可证明、不改变而且无条件的。当然，某些东西我们说它会改变。花苞开成一朵花，当它在改变时，我们仍然认为它是一朵真实存在的花。这种成长和改变，是我们对花之本性所具有的固定概念中的一部分。如果它变得恒常不变，我们反而会讶异。因此在这个观点上，我们对改变的预期是不变的。

一条河，水在流，永远在变，然而我们仍然称它为河流。如果一年之后我们再度到访，会认为它是同一条河。但它是如何相同的呢？如果我们单独挑出一个面向或特性，这相同性就不成立了。水不同了，地球在银河中转动的位置也不同了，树叶已落，新叶又长出来了——剩下的只是一个相似于我们上次见到的河流表象而已。以"表象"作为"真实"的基础是相当不可靠的。经由简单的分析，就能显示出我们一般认为的所谓真实的基础，都只是一些模糊的概括和假设。虽然悉达多也使用一般人定义"真实"时所用的字眼——非想象的、确定的、不改变的、无条件的——但他更精确地使用这些字眼，而非概括性的。在他的观点中，不改变必须意指在所有的方面都不改变，甚至经过彻底的分析后，仍然绝无例外。

我们一般人对真实的定义来自于不完整的分析，如果分析带来令人舒服的答案，如果它给了我们所想要的，我们就不再深入了。这真的是个三明治吗？这尝起来像三明治，因此我吃了。分析就停在此处。一个男孩在找寻伴侣，见到一个女孩，她看起来蛮漂亮的，于是他停止分析，就上前接触了。失望因而无法避免。悉达多的分析却持续深入，直到三明治和女孩都只是原子，甚至连原子都无法存在于他的分析中。终究什么都没找到，他于是免除了失望。

悉达多发现，要确定某个东西真实存在的唯一办法，就是证明它独立存在，而且不需诠释、不能造作或不会改变。对悉达多而言，我们日常生活中一切似乎能作用的机制，不论是身体的、情感的及概念的，都是由不稳固、不恒常的部分所聚合而成，因此它们随时都在改变。我们可以在惯常的世界中了解这个论点。举例来说，你可以说你在镜中反射的影像不是真实存在的，因为它需要依赖你站在镜子前面才行。如果它是独立存在的，那么你的脸不在镜前时，它也应该存在。类似的，事物要真实或独立地存在，就不能是被造作或被创造的，因为这要依赖制造者。

我们看着一个火圈，毫无疑问地能了解它是怎么制造出来的。我们能接受，只要所有的部分都一起正常运作，它就真的是一个火圈——至少在目前是。但是为什么对手里拿着的书或身体躺着的床，我们就不能这样想呢？它看起来像本书，其他人也视它为一本书，它的作用是一本书；但当你分析它时，也可以应用这个"在目前是"的原则。我们生命中的一切觉受都是"在目前是"。事物目前显现出存在，我们就是没有勇气或意志，如此地看待事物。加上由于我们没有以部分看待事物的智慧，便将就地视它们为整体。如果孔雀身上的羽毛都被拔光了，它就不再令我们惊叹了。然而，我们并不热切地想降服于这种世界观。这就好像蜷曲在床上做好梦，略微地知道自己在做梦，却不想醒来一样。或者像是看到美丽的彩虹，怕它消失而不想走近一般。有醒来的勇气，并且加以检视，就是佛教徒所说的出离心。与一般的信仰相反，佛教的出离不是自我惩罚或禁欲主义。悉达多愿意而且能够见到，我们一切的存在都只是标签附加在并不真实存在的现象上而已。经由此，他觉醒了。

佛陀不是被虐待狂

许多对佛陀的教法不甚了解的人，认为佛教是病态的，他们认为佛教徒否定快乐，只想到痛苦。他们设想佛教徒排斥美丽及身体的享受，因为这些是诱惑；佛教徒应该是纯净而节制的。事实上，在悉达多的教法中，并不特别反对美丽和享乐甚于其他的任何概念——只要我们不认为它们是真实存在的，而迷失其中。

悉达多的一位在家弟子，是一位战士，名叫文殊师利，以机智和狡黠闻名。文殊师利的弟子中，有位非常用功而且备受尊敬的比丘，以修行"不净观"著称。"不净观"是给贪爱重、欲念盛的人所设计的修行。修这个法，要观想所有的人都是由血管、软骨、肠子等等所组成的。有一次，文殊师利决定以他的超自然能力来试炼这位勤奋的比丘。他将自己化身为一位美丽的仙女，来到比丘面前诱惑他。初时，这位好比丘保持端庄，一点也不动。但文殊师利使出了难以抗拒的诱惑力，于是比丘被她迷住了。比丘自己很惊讶，因为多年的禅定修行以来，他曾成功地抗拒了一些当地最美丽的女人。比丘既惊恐，又对自己失望，于是开始逃跑。但仙女文殊一直追逐他，直到他筋疲力尽，倒在地上。当这位诱人的女士靠近时，他想，完了，这美丽的女郎要拥抱我了。他紧闭双眼等着，但什么也没发生。当他终于张开眼睛时，仙女化为碎片，文殊师利笑着出现。想象某人美丽是一个概念，他说道，执著于这个概念就会限制你，将你捆绑成结，而且禁锢你；然而如果你想象某人是丑陋的，那也是一个概念，也会绑住你。

年复一年，我们花大笔金钱来让自己和周遭的事物变得更吸引人。但什么是美丽？我们会说情人眼里出西施，但数以百万计的人，观赏环球小姐选美大会，却让评审团来告诉我们谁是全宇宙最美丽的人。这十位左右的评审团员基本上给了我们美丽的终究定义。当然，每次一定会有人有异议，因为在全宇宙中，他们显然忽略了新几内亚的美女，以及在拉长的脖子上带着环扣、优雅的非洲部落女子们。

如果悉达多观赏环球小姐选美大会，他会看到全然不同的一种究竟的美丽。在他的眼里，带上后冠的那位不可能是究竟的美人，因为她的美貌依赖于观赏者。根据悉达多的分析，如果她是真正的美人，就不会需要选美大会，因为每个人都会自然而然地同意她是究竟的美人。而且如果她是真正美丽的话，就不能有一刻稍微不那么美丽。在她打哈欠、打鼾、流口水、蹲马桶或年老的时候，她都必须是美丽的，她必须永远美丽。

悉达多不会认为某位候选人比其他的更美或更不美。相反的，他眼里所有的女人都是非关美丽或丑陋的。他所见的美丽，是在任何一位佳丽所可能被审视的百千万种观点之中。在宇宙中的无数观点中，一定有些人是嫉妒的，有些人视她为爱人、女儿、姊妹、母亲、朋友、仇敌。对鳄鱼来说，她是食物，对寄生虫来说，她是主人。对悉达多而言，这种多样序列的本身，就是令人惊叹的美丽。设若某人是真实而究竟美丽的话，就会固定如此而且仅止如此。所有的晚礼服及泳装、灯光及唇膏，都将没有必要。也正因如此，我们有选美大会的展现，而且在目前，这些景象是美丽的，如同我们现在已经熟悉的那个和合而无常的火圈一般。

相对真理：有"某种程度"的存在

在佛教哲学中，一切为心所觉受之事物，在心未觉受之前不存在；它依存于心。它不独立存在，因此它不真实存在。但这并不表示它没有某种程度的存在。佛教徒称这觉受世界为"相对真理"——这是被我们凡夫心度量而且标示的真理。要认定为"究竟"，真理必须非造作而成，它不能是想象的产物，而且必须不依靠诠释。

虽然悉达多证悟了空性，但空性并不是由他或任何人所制造的。空性不是悉达多获得天启的结果，也不是为了让人们快乐所发展出来的理论。不论悉达多开示与否，空性即是如此。我们甚至不能说它一直都是如此，因为它超越时间，而且不具形式。空性也不应被解释为存在的否定（也就是说，我们不能说这个相对的世界不存在），因为要否定某个事物，你就要先承认有某个东西可以被否定才行。空性也不会消除我们日常的经验。悉达多从来没说过有什么可以取代我们所觉受的更壮丽、更美好、更纯粹或更神圣的东西。他也不是虚无主义者，否定世间存在事物的显现与功能。他并没有否定彩虹的显现，也不是说根本没有那杯茶。我们能享受经验，但仅仅由于能够经验某事，并不代表它就是真实存在的。悉达多只是建议我们检视自己的经验，而且思维它可能只是一种暂时的幻象，如同白日梦一般。

　　如果有人要你展开双臂飞翔，你会说我不能飞。因为在我们相对世界的经验中，飞翔实质上是不可能的，就好像躲进牦牛角一样。但是，假设你在睡眠中梦见自己在空中飞翔，如果在梦中有人说，人类不能飞翔，你会说，可以啊，你看！然后你会飞走。悉达多会同意这两种情况——当你醒着时，你不能飞；而当你睡着时，你能飞。这道理是在于因缘是否具足；要能飞翔的一个缘，是睡眠。当你没有它，你就不能飞，有了它，你就能飞。假设你梦见你能飞，而醒来后还继续相信你能飞，那就麻烦了。你会掉下来，而且会失望。悉达多说，即使在相对世界中醒着，我们还是在无明中沉睡，如同他出走那夜的宫女一般。恰当的因缘聚合时，任何事情都可能出现。但当因缘消散，显现也就停止。

悉达多将我们在这个世界的经验视如一场梦，他发现我们的习性执著于此梦幻般相对世界的显现，认为它是真实存在的，因而落入痛苦和焦虑的无尽循环之中。我们深陷于睡眠之中，如同桑蚕在茧中冬眠，依据我们的投射、想象、期待、恐惧和迷惑，编织出一个现实。我们的茧变得非常坚实而绵密。我们的想象对自己来说是如此真实，因而困在茧中，无法脱身。然而，只要了解这一切都是我们的想象，就能让自己解脱。

要从这睡梦中醒来必然有无数的办法。甚至像 Peyote 仙人掌或美斯卡灵（一种致幻剂）都可能让我们对"真实"的虚幻层面有一点模糊的概念。然而药物无法让我们全然觉醒，其他原因不说，至少因为这种觉醒要依靠外在元素，一旦致幻剂的药效消失，经验也就消失了。假设你正在做一个噩梦，这时只要闪过一个念头，了解自己是在做梦，你就会醒来。而这一闪的火花可能来自梦中。当你在梦中做某些不寻常的事情时，就可能受冲击而了解到你是在睡梦之中。Peyote 仙人掌和美斯卡灵或可借由显现心识和想象的力量，而触发短暂的了悟。药物的迷幻会让我们暂时地认识到幻象可以如此真实而可信。然而使用这种药物是不恰当的，因为它们只能提供不真实的经验，而且还会伤害身体。相反的，我们应该立志达到全然又究竟的觉醒，不依靠外物。了悟来自内在对我们才有用。我们真正需要的，是从习气、想象和贪著中觉醒。修心和禅定是处理心流最迅速、最安全、最有效的方法。如同悉达多所说，你是自己的主人。

"是你的执著困住了你"

悉达多完全了解，在这个相对世界中，你可以泡杯乌龙茶来喝——他不会说这儿没有茶，或说茶是空性。如果他要说什么，那么他会提醒我们，茶并非如其所现；举例说，茶是在热水中枯卷的叶片。然而某些茶痴对茶叶迷得过火，配制特殊的混合，创造出类似"铁观音"这种名字，而且一小撮卖到几千元之多。对这些人来说，它不只是水中的叶子而已。这也是为何在悉达多教法一千五百年后，一位叫帝洛巴的佛法继承者，对他的学生那洛巴说，不是显现（外相）困住了你，而是你对显现（外相）的执著困住了你。

从前有一位貌美的女尼名叫乌帕拉。有个男子深深地爱恋她，到处跟随她。他的追求令她很不舒服，想要躲开，这男子却锲而不舍。终于有一天，她走到这男子跟前，面对着他，他吓了一跳。他结巴地说，他爱恋她的眼睛。她毫不犹豫地就把眼球挖了出来给他。惊吓之中，他了解到我们是多么容易陷入且迷惑于和合的部分。当他从惊吓和恐惧中恢复过来后，成了她的弟子。

另外一个日本佛教传说中，有两位禅宗和尚正准备渡河。一位年轻女子请求他们背她过这湍急的水流。这两位和尚都受过重戒，不可碰触异性，但其中年长的一位毫不迟疑地将她背了起来下水。抵达彼岸后，他把女子放下，也不交谈就走了。几个时辰过后，年轻的和尚忍不住问道，我们不是比丘吗？为何你背那位女子过河呢？年长的和尚答道，我早已把她放下了，你怎么还背着她呢？

在短暂清明的时刻，我们或许可以了解抽象概念的空性；譬如美和丑，这些本来就见仁见智。但对于非抽象的事物，比如需要修理的车子、要付的账单、威胁健康的高血压、支持我们又需要我们支持的家人等等，就很难了解它们的空性了。我们不愿或不能视这些为幻象，是绝对可以理解的。但是，执迷于顶尖时装、高级餐饮、名流地位、精英俱乐部会员诸种奢华时，就相当可笑了。许多人纵容自己在每个房间都装电视，或者将拥有两百双鞋子视为必需。在亮丽的服饰店里，购买一双

Nike 球鞋或 Giorgio Armani 西装的愿望，已经是远远超过维生需求的本能了。甚至有人在店里抢购手提包而打起架来。商品包装和市场研究的和合现象是如此的精密算计，使我们变成追求标签的傻瓜，接受一些完全和材料价值无关的荒唐价码。甚至从政治的角度上看，我们也完全忘记了童工的问题。由于大多数人都认为这些东西是有价值的，因此对一位注意形象、酷爱 Louis Vuitton 的人，很难让她了解她对这真皮手提包的迷恋是无自性的，更不要说让她了解这手提包本身无自性。由于大众文化的不断强化，资产阶级身份和标签的重要性在我们的心中变得更坚实，也把我们的世界变得更不真实。

除了搜括者和市场天才们的操纵之外，我们还被"个人权利"这种抽象概念，以及"生存权"、"反堕胎"或"死亡权"等道德立场所推挤拉扯。政治世界中，充满了这种标签，而真正领袖出现的机会微乎其微。人类有过各种不同的领导人，他们都各有所长，然而人们仍然受苦。也许有一些不错的政治人物存在，但是为了赢得选举，他们必须将自己标记为支持同性恋人权或反同性恋人权，即使他们对这些议题并无强烈的感觉。我们常会发现自己不自愿地附和大多数人的想法，以便在这个所谓民主的世界中与人共处。

很久以前，在一个严重干旱的国家，有个备受尊敬的占卜者预言七日之后终将下雨。他的预言实现了，大家都非常高兴。他又预言了会有珍宝之雨到来，预言又再度成真。大家都变得又高兴又富裕。他的下一个预言说七日后会再下雨，一场诅咒的雨，任何喝了这雨水的人都会发疯。于是国王下令储存大量的净水，以免喝到这受诅咒的雨水。但他的子民们没有储水的设施。当雨下来后，人们都喝了水而疯狂了。剩下国王一人是"正常"的，但他却无法治理疯狂的子民。无计可施之下，他最后只好也喝了受诅咒的水。为了要统治他们，他必须分享他们的迷惑。

如同环球小姐选美一样，在这个世界上，我们所做、所想的任何事情，都是基于一个非常有限的共同逻辑系统。我们非常强调共识。如果大多数人同意某件事物是真实的，通常它就变成正当有效的。当我们看着一个小池塘，我们人类认为它只是个池塘，但对池里的鱼儿来说，这是它们的宇宙。如果我们采取民主的立场，那么水中族群一定会赢，因为它们比我们这些观池塘者为数多得多。多数绝不见得永远都对。糟糕的大卖座影片可以赚得大量的利润，而一部独立制作的优秀影片却只有少数人观赏。

实相：不是寓言，不是魔术，不会致命

对于我们这种心智被实用主义所制约的人，了解空性是困难的；因此密勒日巴躲进牦牛角，几乎总是被说成只是寓言而已。它放不进我们的小脑袋里，就好像大海放不入井里一般。从前，井底住了一只蛙。有一天它遇见一只海边来的蛙。海蛙说了一大堆海洋的趣事，并且夸耀海洋有多大，但是井蛙不相信。它认为自己的井是世界上最大、最美妙的水域，因为它没有参考点，没有经验，它没有理由不这样想。于是海蛙带了井蛙去看海。当井蛙见到海之巨大时，心脏病发作而死。

然而了悟不必然是致命的。我们不需要像井蛙一般，面对空性惊吓而亡。如果海蛙能够有稍微多一点的慈悲心和善巧，也许它可以做一个更好的向导，井蛙也不至于吓死，也许它还会移居到海边也说不定。而我们也不需要有超自然的天赋才能了解空性。这和教育以及愿意观察事物所有的部分以及隐藏的因缘有关。有了这种洞见，我们就会像布景设计师或摄影助理在看电影。专业者能看见我们所看不见的东西。他们看见摄影机如何安置，以及其他观众们不知道的电影技巧，因此对他们而言，这幻象被拆解了。但专业者在看电影的时候，还是可以

尽情享受。这就是悉达多超然的幽默。

领带与情绪的圈套

"蛇与绳索"是佛教说明空性的经典例子。假设有一个胆小鬼叫杰克，他对蛇有恐惧症。杰克走进一个幽暗的房间，看见一条蛇蜷曲在墙角，顿时惊吓不已。事实上他看到的是一条有花纹的阿玛尼领带，但是由于惊慌，他误认所见的东西，严重到可能把他吓死的程度——被一条不真实存在的蛇给吓死。当他认为那是一条蛇的时候，所经历的痛苦和焦虑，就是佛教徒所说的轮回（samsara），那是一种心理陷阱。幸运的是，杰克的朋友姬儿走进了房间。姬儿沉稳、正常，而且知道杰克以为自己看到了一条蛇。她可以开灯，跟他解释这儿并没有蛇，事实上只是一条领带。当杰克知道自己是安全的，这种解放就是佛教徒所说的涅槃（nirvana）——解脱与自由。但杰克的解放是根基于一个虚假的威胁的消除。本来就没有蛇，本来就没有任何会造成他受苦的东西。

很重要的是要了解，当姬儿开了灯，指出这儿并没有蛇的时候，她同时也说明了并没有"蛇之消失"。如果她诚实，她不能说蛇现在走了，因为从来就没有蛇在那儿。她也没有把蛇变不见，正如悉达多并没有制造空性一般。这就是悉达多坚持他不能挥挥手就把别人的痛苦祛除的原因。他自己的解脱也不能像某种奖品，分块赠送或与人共享。他所能做的只是解释他的经验，告诉大家其实从来就没有痛苦，就好像为我们开灯一般。

当姬儿见到杰克吓呆时，她有一些选择。她可以直接地指出这儿并没有蛇，或者她也可以用善巧方便，将"蛇"引出这个房间。假如杰克已经惊吓到无法分辨蛇和领带，即使开了灯，而姬儿不善巧的话，她也可能把事情弄得更糟。如果她拿了领带在杰克面前摇晃，他可能心脏病发作而死。但如果姬儿够善巧，知道杰克被迷惑了，她可以说，是的，我看到蛇了，然后小心地将领带拿出房间，让杰克暂时感到安全。也许过了一会儿，当他稍事放松后，再温柔地带他去了解事实上从一开始就没有蛇。

如果杰克根本就没有进这个房间，如果根本就没发生过误解，那么整个看见或没看见蛇的景象就毫无意义了。然而，因为他看见了一条蛇，陷于此景象之中；而且由于他因恐惧而瘫痪，就想要有逃离的方法。悉达多的教法就是这种解脱的方式，而他的开示就叫做"法"。"法"有时被称为一条"神圣"的道路，然而严格来说，在佛教中并不存在神性。一条道路就是一个方法或工具，带领我们从一处到达另一处；在此，"法"就是带领我们走出无明，抵达无无明的道路。我们用"神圣"或"崇高"的字眼来形容，是因为法的智慧能让我们从恐惧和痛苦中解脱，而这一般而言，是神的角色。

我们的日常经验充满了不确定性，偶尔的欢乐、焦虑，以及似蛇一般缠绕着我们的情绪。我们的期待、恐惧、野心，以及普遍的歇斯底里创造了黑暗和阴影，因而让这条蛇的幻象更加生动。如同胆小鬼杰克般，我们在黑暗房间的各个角落搜寻解答。悉达多教法的唯一目的，就是让我们这些胆小鬼了解，我们的痛苦和妄想都只是基于幻象而来的。

虽然悉达多不能以挥挥魔杖或某种神力来抹去痛苦，但在开灯这件事情上，他是非常善巧的。他提供了许多道路和方法来发现真相。事实上，在佛教中有成千上万的道路可循。为何不把它们简化成一种方法呢？正如不同的疾病需要有不同的药方一样，对不同的习气、文化及态度，不同的方法是必要的。走哪一条路，需要看弟子的心态以及上师所具有的善巧而定。悉达多没有一开始就用空性来惊吓大家，反而以一般的方式，诸如禅定以及行为规范——做正确的事、勿盗窃、勿妄言等来教导众多的弟子。根据弟子的本性，他定下了不同程度的出离及苦行，从削发到不食肉等等。对一开始无法听闻或了解空性的人，以及天性适合苦修的人而言，这些状似宗教性的严格道路很有效。

佛陀的教法：佛法作为安慰剂

有人以为严格的规范和善行是佛教的精要，但这只是佛陀善巧而众多方法中的一小部分而已。他知道不是每一个人都能一开始就了解究竟的实相。对我们许多人来说，想了解地狱只是你自己嗔恨的觉受这种概念都非常困难了，更不用说空性的概念。佛陀不想让杰克陷在个人的"地狱"中，但因为杰克是个笨蛋，又不能告诉他去处理自己的觉受和嗔恨心。因此为了他好，佛陀开示了有一个外在的地狱，为了避免沦落该处而被丢在熔浆中煮熟，杰克必须停止纵容自己不善的负面行为和情绪。这类的教法在佛教的文化环境中非常普遍；我们常在寺庙墙上看到地狱形象的壁画，其中有燃烧的肉体和恐怖而冰寒的深渊。这些图像，根据弟子的程度，可以用直接或象征的方式去了解。上根器者，了知日常地狱的源头，亦即我们的痛苦，来自于自己的觉受。他们知道并没有所谓的审判之日或审判者。当密勒日巴现身于牦牛角中时，惹琼巴正迈向成为伟大上师之途。他具足了极大的证量在智力上了解空性，而且也有足够的了悟，能看见密勒日巴在牦牛角内，但他的证悟还不足以让他与上师同处于牛角之中。佛陀的最终目标是让杰克了解，如同这些上等的弟子们，除了他自己的嗔恨和无明之外，并没有地狱道。由于暂时减少了负面的行为，杰克因而能够转向，免于纠结于更多的觉受、疑惧和妄想之中。

❖   ❖

业（Karma）这个字几乎和佛教成了同义字。通常它被理解为一种道德系统的报应——"恶"业与"善"业。然而，业只是一种因果的法则，不应该与道德或伦理混淆。包括佛陀在内，没有任何人对何为负面的、何为正面的定下基本的标杆。任何促使我们远离"一切和合事物皆无常"这种真理的动机或行为，都可能导致负面的后果，或恶业。任何带领我们趋近"一切情绪皆苦"这种真理的行为，都可能造成正面的结果，或善业。终究而言，不是要佛陀来审判，只有你自己明了行为背后的动机。

在与弟子须菩提讨论时，悉达多说，若以色见我，以音声求我，是人行邪道。四百年之后，伟大的印度佛教学者龙树呼应了这句话。在他闻名的佛教哲学论述中，他花了整个章节来"解析佛陀"，他的结论是，究竟上，并无外在存在的佛陀。甚至到今天，我们都常听到佛教徒这么说：若在路上见到佛，杀掉他（见佛杀佛）。这当然是一种象征比喻，他们当然不会杀掉佛。它的意思是，真正的佛并非一位为时间和空间所局限的外在救主。但从另一方面说，曾有名叫悉达多的人，出现在这个世界上，被称为乔达摩佛陀。他曾赤足托钵走在摩揭陀国的街上。这位佛陀曾开示教法，照料病患，甚至到迦毗罗卫国探访家人。佛教徒对这位肉身佛陀存在于公元前五世纪的印度而不是现今的克罗地亚并无争议，这是由于多少世纪以来，他一直是启发我们的泉源。他是一位伟大的老师，一系列后续传承具格师徒的起始者。就是如此而已。然而，对一位认真的精神追寻者，启发即是一切。

悉达多用了许多善巧的方法来启发大家。有一天，一位比

第三章　一切是空

95

丘见到乔达摩佛陀的袍子上有个破洞，就要帮他缝补，但佛陀拒绝了，还是穿着这件破袍子行走乞食。当他走向一位穷途潦倒的妇人所住的破屋时，比丘们都很困惑，因为她完全没有食物可以供养。这位妇人见到了佛陀的破袍子，就以所剩的一点线头要帮佛陀缝补。悉达多同意了，并说她的功德会令她在下一世投生为天界之女王。听了这个故事，许多人都受启发而行布施。

在另一个故事中，悉达多提醒一位屠夫，杀生会导致恶业。但屠夫答道，我只会这一行，这是我的生计啊。悉达多就告诉这位屠夫至少发愿在每天日落后、日出前不要杀生。他并不是给这位屠夫在白天杀生的通行证，而是引导他渐渐减少恶行。这些都是佛陀以善巧方便教导佛法的一些例子。他并不是说因为这位可怜的老太婆补了他的袍子，她就可以上天堂，好像他是神一般。而是由于她自己的布施造成了善报。

你也许会认为这是矛盾的。佛陀自我矛盾，说他不存在，一切皆是空性，然后他又教导了道德和救赎。然而这些方法是必要的，以免吓走那些尚未准备好，还不能被引介空性的人。他们用了这些方法，因而变得祥和，易于接受真正的教法。这就如同说那里是有一条蛇，然后把领带丢到窗外一般。这些无限的方法就是道路。然而，道路本身终究也需要被抛弃，如同你抵达河岸时，就得抛弃舟一般。你抵达时必须要下船。在完全证悟的那一刻，你必须抛弃佛教。精神之路是一个暂时的解答，它是在空性被了悟之前所使用的安慰剂（placebo）。

明了的利益：续集

你可能还会想，了解空性的益处是什么？借由了解空性，你可以继续欣赏一切看似存在的事物，却不会把这些幻象当做真实而产生执著，不会有孩童追逐彩虹时一再的失望。你看穿这些幻象，因而能提醒自己从一开始这就是自我创造出来的。也许你还是会被刺激或变得情绪化、悲伤、气愤或热情，但是你会有信心，如同一个看电影的人，可以放下剧情走出戏院，因为他充分了解到这只不过是一场电影。你的期待和恐惧至少会稍许淡化，就好像了解那条蛇只不过是条领带而已。

当我们尚未证得空性，当我们不完全领悟一切事物都是幻象时，这世界会看起来非常真切、实在而坚固。我们的期待与恐惧也会变得坚实而无法控制。举例来说，如果你对自己的家庭有坚实的信念，就会对双亲会照顾你这件事有深切的期待。对街上的陌生人你不会有这种想法，他没有这种义务。了解和合现象以及了解空性，能在亲情关系当中容下一些空间。当你开始了解塑造了你双亲的各种经验、压力及情况，你对他们的期待会改变，失望也会减少。当我们自己成为父母，只要稍微了解相互依存的道理，都会有效地软化我们对儿女的期待，也可能因而让他们视为是爱。没有这种了解，我们可能有良善的动机去爱护和照顾儿女，但是我们的期待和要求可能会令他们难以忍受。

相同的，了解空性，你会对社会当中，忽而建构、忽而解构的一切装饰和信仰失去兴趣——诸如政治系统、科技、世界经济、自由社会、联合国等。你就会像一个成年人，不再对孩童的游戏有多大的兴趣。这么多年来，你曾信赖这些机构，而且相信它们能成就过去制度之所不能。然而这世界并未变得更安全、更愉快或更安定。

这并不是说你必须远离社会。了解空性并非表示你变得漠不关心；事实上，相反的，你生起了一种责任感和慈悲心。如果杰克在那儿吼叫、失态，叫骂每个人不要将蛇放在屋子里，而你知道这是来自他的迷惑，就会对他产生同情心。其他人可能不会这么容易原谅他，那么你就可以试着开一点灯。在粗略的层次上而言，你还是会争取你个人的权益，继续上班，在体制内活跃于政治，但当情况改变时，不论是对你有利还是不利，你会有备而来。你不会盲目地相信所有的希望和期待会实现，你也就不会被结果所束缚。

可是许多人常常选择待在黑暗之中，我们无法看出造就日常生活的幻象，是因为没有勇气从我们身处的网络之中挣脱出来，我们以为只要持续前进，就已经或即将会非常舒适。这就好像困在迷宫中走不出来，我们却不想去发掘其他不同于惯常路径的方向。我们不愿意冒险，因为我们认为会损失太多。我们害怕如果从空性的观点来看世界，会被社会遗弃，失去别人的尊重，同时也失去朋友、家庭和工作。幻象世界的诱惑起了作用；它被包装得如此美好。我们被各种讯息所淹没，诸如某种肥皂会令我们拥有天堂般的香气，南滩节食法有多神奇，民主制度是唯一可行的政府系统，维他命如何增加我们的精力等等。我们很少听到非片面的实话，即使偶尔有之，也是以极小的字体呈现。想象一下乔治·布什到伊拉克，公开宣告说，美国式的民主在贵国实行，可能成功，也可能失败。

如同在电影院里的孩童，我们被幻象掳获了。从这儿开始，衍生了我们的虚荣、野心和不安全感。我们爱上了自己创造的幻象，发展出对自己的外表、财富和成就过度的骄慢。好比戴了面具，却骄傲地认为面具是真实的自己。

从前有五百只猴子，其中一只认为自己很聪明。一天夜里，这只猴子看到湖中的月。它很骄傲地告知所有其他的猴子们，如果我们到湖里把月亮捞起来，就会成为拯救月亮的英雄。一开始，其他的猴子不相信，但是当它们亲眼见到月亮真的掉在湖里了，就决定去把它救起来。它们爬上树，一只抓着另一只的尾巴，试着去捞起闪闪发光的月亮。就在最后那只猴子即将捞到月亮的时候，树枝断了，猴子全落入了湖中。它们不会游泳，全部在水中挣扎，而月亮的倒影也因为波浪而破碎。我们就像这群猴子一般，渴求名气与原创力，认为自己善于发现新事物，并且试图说服同伴们视我们所见，想我们所思，被野心所驱使，想要成为救世主、最聪明的人或最有睿见的人。我们有各式各样的小野心，诸如让一位女性刮目相看；或大野心，诸如登陆火星等。可是一再地，我们总是掉入水中，抓不到任何东西，又不会游泳。

❖　　　❖

了悟了空性的悉达多，对菩提树下的忘忧草或宫殿里的丝绸坐垫没有好恶分别。金线织成的坐垫价值较高，完全是由人类的野心和欲望造作而来的。事实上，山中的隐士也许会觉得忘忧草比较柔软而干净，而且最大的好处是坐坏了也不需要担心。你不需要对它喷药，以免猫用爪子去抓它。宫

廷生活充满了这类的"珍品",需要相当多的维修保养。悉达多是属于比较喜欢草垫的人,因此他不需要常常回家去补充什么东西。

我们人类认为心胸宽广是一种美德。要扩展心胸,重要的是不要安于令我们舒适或习惯的东西。如果我们有勇气能超越世俗,不被惯常逻辑的界线所限制,就能得到利益。如果我们能超越界线,就能了解空性是如此可笑地单纯。密勒日巴躲进牦牛角不会比某人戴上手套还令你讶异。我们所要挑战的,是对惯常逻辑、文法、字母、数学公式的执著。如果能记得这些习惯的和合本性,我们就能断除它们。它们不是不能破除的。所需要的只是一个条件完全正确、信息适时到位的情况,你可能突然发现所有依赖的工具都不是那么坚实,它们有弹性、可弯曲。你的观点会改变。如果你信任的人告诉你,多年来你厌恶的妻子事实上是财神婆的化身,你从此以后看她的方式都会改变。相同的,如果你在一个上好的餐馆中享用一块加满酱汁的可口牛排,吃得津津有味,这时候厨师跑来跟你说这事实上是人肉的话,你的经验会即刻一百八十度翻转。你的可口的感觉,变成了呕吐的感觉。

　　当你从梦见五百头大象的睡眠中醒来时，不会对这些大象怎么装得进你的卧室感到困惑。因为它们在梦前、梦中和梦醒后都不存在。然而当你正在做梦时，它们可是非常真实的。终有一天我们会了悟，不只是智力上的了解，事实上没有什么大与小、增与减，这些都是相对的。然后我们就会明了，密勒日巴如何进入牦牛角，以及为何如阿育王如此的暴君，都会礼敬而降服于此真理之下。

第四章 涅槃超越概念

根据佛教徒的说法，在悉达多证悟成佛的这一世之前，他曾有无数世投生为鸟、猴子、大象、国王、王后，而且其中有许多世身为菩萨，其唯一的目标就是征服无明因而得以利益一切众生。而最终，在他生为印度太子悉达多的这一世，终于在菩提树下击败了魔王魔罗，抵达彼岸，轮回的对岸。这个状态称做涅槃。证得涅槃后，他在靠近瓦拉纳西的鹿野苑初转法轮，而且终其一生在北印度地区持续教法。他的弟子有比丘和比丘尼、国王和武士、娼妓和商人等。他自己的许多亲人都出了家，包括他的妻子耶输陀罗，以及儿子罗睺罗。来自整个印度和其他地方许许多多的人，都尊他为无上之人。然而他并没有变为长生不老。经过了长期的教法，他在拘尸那城圆寂了。此

第四章　涅槃超越概念

时，他更超越了涅槃，而到达称为究竟涅槃（胜涅槃，parinirvana）的境界。

天堂：终极的假期？

涅槃、证悟、解脱、自由、天堂——这些字眼，许多人喜欢说，但少有人花时间去检视。进入这种状况，会是什么样子？虽然我们可能认为涅槃和天堂大大不同，可是我们对两者的特性却有差不多的想象。天堂／涅槃，是我们经过多年的缴费、做修行功课、做好国民以后，死去所到的地方。在那儿我们会碰到许多老伙伴，因为它是所有"好"的死人聚集之处，而所有不太好的死人都在下方受苦。我们终将有机会解开生命的秘密，完成未了事宜，弥补缺失，也许还能看见自己的过去世。有一群没有性器官的小婴儿在空中飞来飞去，帮我们烫衣服。我们有满足一切需求和欲望的居所，坐落于循规蹈矩的涅槃居民小区中。我们永不需要锁上门窗，可能也不需要有警察存在。如果那儿有政治人物的话，也都诚实可信。一切都恰如我们所希望的；好像极度舒适的退休住宅。或者我们之中有人想象极端纯净的白光、广大的空间、彩虹和云雾，在那上面我们安歇于大乐状态中，行使着神通和全知的能力。我们唯一可能的挂念，是替一些无法同行的亲朋好友担忧而已。

悉达多发现这些死后世界的版本都是幻想。仔细检视的话，典型的天堂景象并不是那么吸引人，证悟也好不到哪里去。退休、蜜月、野餐都很令人开心——但如果永远如此就不好玩了。如果我们梦想的假期延续太长，就会开始想家。完美的生活会变得很无聊。在这个世俗世界中，我们可以看侦探片、惊悚片及色情片。经过一星期辛苦的工作，我们可以在周五夜晚大肆庆祝。我们可以欣赏季节的改变，也可以在计算机里安装最新版的软件。我们可以翻开早报，读到世界上所有发生的悲惨事件，幻想如果能和世界领袖们换换位子，我们会怎么做。虽然许多时候，这些"单纯的快乐"，事实上分明就是我们的问题。

相较之下，我们想象的证悟是一种永不改变的无问题区域。我们能够处理完全没有困难的状态吗？许多我们相信是构成快乐的元素，像是惊奇、成就、娱乐等等，我们都不会再有。饶舌歌手 Eminem 的歌迷们，肯定会厌倦天堂的竖琴音乐——他们会想听他充满脏话的新专辑。如果我们接受书本上证悟的定义，那就无法欣赏悬疑片了；我们全知的能力会毁掉结局所带来的惊奇。暴力的电视游戏或赛马场上的刺激也不会再有，因为我们早就知道哪匹马会赢。

长生不老是另一个时常被拿来描述证悟或天堂的特质。一旦我们抵达在云端的新居，就永远不会再死亡，因此我们毫无选择，只好一直活下去。我们被困住，无处可逃。我们拥有一切梦想所要的，除了一个出口、惊喜、挑战、满足以及自由意志，因为我们再也不需要它们了。检视所有这些状况，从我们目前的观点来看，证悟是一个终极的无聊状态。

但是我们大多数人不严格地检验对死后来生的描述；我们宁可让它模糊一点，只是概略地想象它是一个完美的最终栖息之处。我们所渴望的证悟是永恒的，类似一种永久居留权。或者有些人认为他们会拥有凡人没有的特殊能力，以类似本尊或高等众生的身份回来参访。他们会享有天使豁免权，如同拥有特殊护照的外交官一般。而且因为豁免权和高位阶，他们认为应该可以安排签证，引领亲人们跟着回去。但问题来了，如果这些新移民有自己的一套想法——也许他们想穿某种引人注目的袜子，导致其他天堂众生侧目——天堂会不会在乎？而且如果所有的"好人"都能取得天堂或涅槃的会员卡，那么以谁的快乐版本为标准呢？

不管我们怎么定义它，每一位众生究竟的目标都是要快乐。难怪天堂或证悟的定义中，快乐是必要的部分。一个好的死后来生应该包含终于获得了我们一直努力想要的东西。一般而言，人们眼中的天堂景象，是活在与目前所处类似的系统里，只是它更精密，而且一切顺利得多。

快乐不是目标

我们大部分人都相信，心灵道路究竟的终极成就，只会在这一生结束的时候才能到来。我们被这些不纯净的环境和身体所困住，因此必须死亡，才能完全成功。只有在死后，才能经验到神性或证悟的状态。所以在此生中，我们所能做的最多就是准备；我们现在的所作所为，会决定到底以后是去天堂还是地狱。有些人觉得自己已经没希望了。他们认为自己天生邪恶、不良善，不配去天堂——他们是注定要去下界的。相似的，许多佛教徒理性上知道，众生都和乔达摩佛陀一样地具有相同的潜能和相同的本性，然而感性上，他们觉得没有足够的品德和能力，能获准进入证悟的金色大门，至少这一辈子不行。

对悉达多而言，究竟的安歇之所，不论是天堂或涅槃，根本就不是一个地方——而是从无明的困惑中解脱出来。如果你一定要指出一个实质的地点，那可能就是你现在坐着的地方。对悉达多而言，那是在印度比哈尔邦的一棵菩提树下，垫了一些干燥忘忧草的平石板上。直到今天，任何人都可到该地参访。悉达多所说的自由是无条件、不受限制的。靠着个人的勇气、智慧和精进，可以在此生中证得。没有任何人不具这种潜能，包括困在地狱道中的众生都一样。

悉达多的目标并不是要快乐。他的道路并非终究引导到快乐。相反的，它是一条直接的道路，通达痛苦的解脱、妄念和迷惑的解脱。因此涅槃既非快乐也非不快乐——它超越了一切二元的概念。涅槃是寂静。悉达多教导佛法的目的，是要让杰克这种因为怕蛇而痛苦的人完全解脱。这表示杰克必须从以为自己不再受蛇威胁而得到的慰藉中超越出来才行。他必须了解，从一开始就根本无蛇，只有阿玛尼领带而已。悉达多的目标是除去杰克的痛苦，然后帮助他了解，从一开始，就没有本具存在的痛苦之因。

我们可以说，只要了悟真理，就会带来证悟的成就。根据了解真理的程度，我们能在证悟的阶段上进展，这叫做菩萨的证量。如果一个孩童被戏剧中的恐怖怪兽所惊吓，我们可以带他到后台，去看卸妆后的演员，除去他的恐惧。相似的，如果你能看见一切现象的背后并了悟真理，你就会解脱。即使这位演员只拿掉了面具，恐惧也就相对减少了很多。相同的，如果一个人局部地了悟真理，也就会有相应程度的解脱。

雕刻家可以从大理石中雕出美丽的女人，但他应该有足够的了解，不会和他的作品坠入情网。然而，如同希腊神话中皮格马利翁（Pygmalion）爱上了他自己创作的雕像伽拉泰娅（Galatea）一般，我们自己创造出朋友和敌人，却忘记他们是怎么来的。由于缺乏专注力，我们自己创造的东西变得坚固而真实，而更纠结于其中。当你完全了悟这一切都只是你所创造的，而不只是智识上的了解时，你就自由了。

虽然快乐被认为只是一个概念，佛教典籍仍然使用诸如"大乐"等字眼来描述证悟。涅槃确实可以被认为是一种喜乐的境界，因为没有迷惑、没有无明、没有快乐也没有不快乐，就是大乐。像是蛇的例子，能见到迷惑和无明的根源从未存在，那是更好的。当你从梦魇中醒来，会感到如释重负，但大乐好比从来就根本没做过梦。从这个角度看，大乐和快乐不同。悉达多对他的追随者强调，如果他们真正地想从轮回中解脱的话，在此生或来生追寻祥和与快乐是完全无用的。

快乐的陷阱

佛陀有位堂弟，名叫难陀（Nanda），他深深地爱恋他的某一位妻子。他们相互迷恋，日夜难分难舍。佛陀知道堂弟从这个耽溺中醒来的时候已到，于是就前往难陀的宫殿乞食。因为难陀一直忙着做爱，造访者通常总是被遣走，但佛陀有他特殊的影响力，许多世以来，他从未曾说过谎言，因为这个功德的缘故，佛陀具有说服的力量。当警卫通报佛陀来到大门口时，难陀虽然百般不愿，却也只好从他的爱巢中起身。他觉得至少应该迎接他的堂兄才是。就在出房门前，他的妻子以唾液沾湿拇指，在他额头上画了一个圈，告诉他必须在唾液干掉以前回来。但是当难陀出去供养时，佛陀邀他去看非常稀有而奇妙的东西。难陀试图找个借口推掉这次观光之旅，但佛陀坚持他一定要去。

于是两人来到了一个住着许多猴子的山上。其中有一只特别苍老而瘦骨嶙峋的独眼母猴。佛陀问难陀，你的妻子和这只母猴，谁比较美？难陀回答当然他的妻子最美，而且描述了所有她的迷人之处。一谈起她，难陀才想起额头上的唾液早就干了，他非常想要回去。但佛陀坚持拉他去兜率天，在该处见到了数以百计的美丽女神，以及堆积如山的天堂珍宝。佛陀问道，你的妻子和这些女神，谁比较美丽？这回难陀屈身而回答说，比起这些女神，他的妻子好比一只母猴一般。佛陀于是带难陀去看一个由珍宝、美女和侍卫所围绕的无人宝座。震撼之余，难陀问，谁坐在这儿？佛陀叫他去问众女神。她们告诉他，在人间有一名叫难陀者，即将出家成为比丘。由于他的善行，他将投生于天界，成为宝座的主人，我们将会在此服侍他。即刻，难陀就要求佛陀为他剃度了。

回到了人间，难陀成了比丘。佛陀叫来另外一位堂弟阿难（Ananda），告诉他要所有的比丘们不跟难陀说话，要他们无论如何都要避开他。切勿交往，因为你们的发心不同；因此你们的见地不同，行为也一定不同，佛陀说。你们寻求的是证悟，而他寻求的是快乐。比丘们因而都避开了难陀，他变得孤单而悲伤。他告诉了佛陀被遗弃的感受，佛陀要难陀跟他再出去走一趟。这回他们去到了地狱界，见到了各种折磨、肢解、闷死的景象。在这之中，有一个巨大的铁锅，地狱小鬼环绕其周，准备侍候。佛陀要难陀去问他们在做什么。啊！他们答道，在人间有个人叫难陀，现为一名比丘。因为如此，他将上天界过一段很长的时间。然而因为没有断除轮回之根，他会过分沉迷于天界的享乐而不追寻更多的善业，当功德耗尽时，他就会直下此锅中，我们就等着煮沸他。

这时难陀才了解，他必须不只是要离弃不快乐，也要离弃快乐才行。

❖　　　　❖

难陀的故事说明了我们是如何沉溺于享乐之中。跟他一样，当更好的快乐出现时，我们就马上丢弃现有的快乐。见到了独眼猴，让难陀加强了他的妻子是最美丽的觉受，但是当他见到了众女神时，他毫不迟疑地把她给抛弃了。如果证悟只是快乐的话，那么某种更好的东西出现时，它也会被抛弃。构筑于快乐之上的人生，基础是脆弱的。

我们人类总是用自己的情况来想象证悟者。想象一位虚构的证悟者模糊地站在远方，比起想象现前、活生生、会呼吸的证悟者来得容易。因为在我们心中，如此的证悟者除了具足人类所有最好的品质之外，一定是非常不得了、具有超人能力和特征的。也许我们有些人认为通过非常努力可以终究获得证悟。但是心中有了这么崇高的形象后，"非常努力"可能代表几百万辈子的奋斗以及牺牲所有好玩的东西。这种想法可能在我们愿意去想的时候才会浮现，但大部分时间，我们不愿去想。它太累人了。当我们看到去除一个世俗的习惯有多难时，证悟似乎是遥不可及的。如果我们连烟都戒不成，怎么能去戒除贪、嗔、痴的习气呢？许多人认为我们必须委托救世主或上师这样的人来替我们做净化的工作，因为我们没有信心能单独做到。但是，只要我们对相互依存的真理有正确的讯息，加上一点纪律来应用它的话，这些悲观的看法都不必要了。

希望以及本初清净

经由知识和经验所获得的证悟能够超越怀疑。我们必须完全了解，阻碍证悟的染污和迷惑，并不是固定不动的。纵然我们的障碍看起来既顽强又恒常，事实上它是不稳定的和合现象。明了和合现象的依存性以及能被操作的道理，能引导我们看到它们无常的本质，而且可以让我们确定：它们是可以完全被清除的。

我们的本性就好比玻璃酒杯，而我们的染污和蔽障就好比污秽和指印一般。当我们买杯子时，它并没有本具存在的指印。当它被弄脏了，这习性的心认为杯子是脏的，而不是杯子上有污秽。杯子不是脏的，它只是一个上面有污秽和指印的杯子而已。这些不净物可以被清除。如果杯子是脏的，那么唯一的办法就是把杯子丢了，因为污秽和杯子就会结合成一个东西：脏杯子。但事实并非如此。污秽、指印和其他显现在杯子上的东西是缘自某些状况而来的。它们是暂时的，我们可以用各种不同的方法将污秽洗掉。我们可以把它放在河里、水槽里或洗碗机里去洗，或者叫用人把它洗干净。但不论我们用什么办法，目的是去除污秽，而不是去除杯子。洗杯子和洗污秽之间，有个极大的分别。也许我们会争论那只是语义的差别，洗杯子就是指把污秽从杯子上洗掉，若是如此，那么悉达多是会同意的。但如果我们认为那个杯子和原有的不太一样了，那就是一个谬见。因为杯子没有本具的指印，当你去除了污秽，杯子并没有转化——它还是你在店里买的那个同样的杯子。

当我们认为自己的本性是愤怒或愚痴的，而对自己达到证悟的能力有怀疑时，我们事实上是认为自己的本性是恒常不净而染污的。但如同杯子上的指印，这些情绪并非我们真实本性的一部分；我们只是从各种不利的情况之中，诸如与不善的人相处，或不了解自己行为的后果等，集结了这些污染物而已。这个本初无染污、自己清净的本性，常被称为佛性。但这些染污和它所带来的情绪已经存在太久了，它强大到成为我们的第二本性，不时地覆盖着我们。难怪我们认为没有希望。

要重燃希望，在佛教道路上的人可以开始这么想，我的酒杯可以洗干净，我也可以净除我的负面情绪。这和杰克认为蛇应该被移除是类似而稍微幼稚的看法。然而，能够见到事物的本初真性之前，有时候这是必要的准备工作。如果不能够觉受一切现象本来具有的清净，至少，相信自己可以达到清净的状态，能帮助我们往前努力。正如杰克想要弄掉那条蛇一般，我们想要去除蔽障，而且有勇气去尝试，是因为我们知道那是可能的。我们只须应用对治方法，来减弱造成染污的因缘，或强化与它相反的因缘，譬如说，生起慈悲心来征服嗔恨。我们热切地洗杯子，是因为相信我们可以有个干净的杯子；同样的，我们热切地想办法去除蔽障，是因为相信我们具有佛性。我们有信心把脏盘子放进洗碗机，是因为知道食物的残渣是可以被清除的。如果有人要我们把木炭洗白，我们就不会有相同的热心和信心了。

穿过黑暗风暴的一束光

　　但在这无明、黑暗和迷惑之中，我们如何能探知佛性呢？漂流在汪洋中的水手，第一个希望的征兆来自于穿过黑暗风暴的一束光线。朝向它驶去，他们就会抵达光之源头——灯塔。慈悲就好比从佛性所发出的光。起初，佛性只是超越我们见地的一个概念而已，但如果我们生起慈悲心，终将能趋近它。从一个迷失于贪、嗔、痴黑暗中的人身上，也许很难看出佛性。他们的佛性是如此遥远，我们可能以为根本就不存在。但是即便在最黑暗而暴力的人心中，还是会有慈悲闪现，虽然那可能极为短暂而暗淡。如果能珍惜重视这乍见的光芒，投入更多的能量往光源的方向移动，他们的佛性还是可以被发掘出来的。

　　由于这个原因，人们赞颂慈悲为达到完全去除无明最安全之道。悉达多的第一次慈悲行动在极早的一世，在一个不相称的地方——他那时不是菩萨，而是一个由于自己恶业而投生地狱道的众生。当时他和同伴被迫拉一辆车穿过地狱之火，阎王坐在后方，无情地鞭打他们。悉达多还蛮健壮，但他的同伴非常虚弱，因此被打得更厉害。

见到同伴被鞭打，悉达多生起了一股强烈的悲心。他请求阎王，请放他走，我来背负二人份的重量。一怒之下，阎王重击悉达多，他头裂而亡，往生善道。他在死亡时刻的那一念慈悲心持续地增长，而在后来世中变得越来越灿烂。

循着慈悲心，还有无数的道路可以带领我们证得佛性。即使只是在智识上了解自己和众生本善，也能带我们趋近成就。这就好像我们把珍贵的钻戒放错了地方，但至少知道它还在珠宝箱中某处，不是掉在广大的山野中。

虽然我们用成就、抵达、祈愿等字眼来描述证悟，但究竟上我们并非从外在的来源得到证悟。较正确的说法是我们"发觉"了一直都在那儿的证悟。证悟是我们真实本性的一部分。我们的真实本性好似还在模子里尚未取出的一座金质雕像，而这外包装的模子就好比是我们的染污与无明。由于无明和情绪不是我们本性原有的一部分，如同模子不是雕像的一部分，因此有所谓本初清净这种说法。当模子破了，雕像就出现了。当我们的染污清除了，我们真正的佛性于是显现。但很重要的是了解——佛性并非神圣而真实存在的灵魂或本质。

什么样的感觉？

我们可能还会怀疑，如果既非快乐也非不快乐，那么这证悟到底是什么东西？证悟者如何显现，如何作用？发觉我们的佛性，是什么感受？

在佛教的典籍上，对这些问题的回答，通常都说这是超越我们的概念，无法以言语表达的。很多人误以为这是规避问题的狡猾答案。然而，事实上这就是答案。我们的逻辑、语汇和符号是如此有限，连普通的舒解感觉都无法充分地表达；何况是全然舒放的经验，更难用言语来传达给另一个人。如果量子物理学家对他们的理论都难用言语来表达，我们又怎么能冀望用词汇来述说证悟呢？受困于有限的逻辑和语言之中，同时又被情绪紧紧地控制着，在这种状态下，对于证悟，我们只能付诸想象。然而，勤奋努力加上推论逻辑，我们或可得到近似的答案，恰如你见到山顶有烟，就能推测应该有火一般。利用现有的能力，我们可以开始了解并接受，蔽障来自可以被操作的因缘，而且终究能被净除。想象没有染污情绪和负面性的状态，是了解证悟本性的第一步。

假设你现在正在头痛，你即刻的愿望就是将它消除。这是可能的，因为你知道头痛不是你天生的一部分。接着你试图去了解为何头会痛——譬如说，缺乏睡眠。然后你用适当的疗法来去除头痛，诸如服用阿司匹林或倒下来睡个觉等等。

❖　　　❖

在瓦拉纳西初转法轮时，悉达多就教导了这四个步骤，就是大家熟知的四圣谛：了知苦，抛弃苦之因，修息苦之道，了知苦可灭。有些人可能不懂为何悉达多需要指出"了知苦"。难道我们没有足够的智力知道自己在受苦吗？但只有痛苦在完全成熟的状态下，我们才认知到它是痛苦。对一个正在高高兴兴舔尝冰淇淋的人，很难让他相信他正在受苦。然后，他才想起了医生警告他要降低胆固醇和减轻体重的事。如果你能仔细探索这个状似愉快的经验，从他开始渴望吃一个冰淇淋，一直到他对肥胖和胆固醇的担心，你会发现他一直都处在焦虑之中。

我们能接受，对于像嗔恨这种情绪，如果用适当的方法对治，控制它一个下午是可能的，但是想象情绪能永久消失，心理上很难接受。然而，如果我们能想象一个局部消除嗔恨，基本上平和而宁静的人，那么我们就能更进一步想象永远消除嗔恨的人。但超越了一切情绪的人如何举止？盲信的人可能会想象一位盘腿坐在云端的温驯老者。而怀疑主义者可能会想象这种人就如植物人一般，毫无反应而无聊至极——如果真有这种人存在的话。

纵然证悟状态无法言说，而证悟者又无法为凡夫心所认出，我们还是可以问，悉达多是谁？他做了什么伟大的事而令他如此受人赞叹？他显现了什么不寻常的事迹？在佛教中，证悟者并不是由其超自然能力（如飞行）或某种身体特征（如第三眼）来断定的。虽然佛陀本人常被描述为庄严殊胜、身呈金色、手柔软、具帝王相，但这些形容主要对无知的土包子或像杰克一般的人才有吸引力。在严谨的佛教经典中，并不夸耀佛陀能飞翔以及显神通的事迹。事实上，在口传教法中，一再地告诫佛弟子不要被这些不重要的特质所迷惑。虽然他有这种特殊的能力，但从来不被认为是他伟大的成就。他最伟大的成就是了知了实相，因为了知实相能让我们彻底从痛苦中解脱。这才是真正的奇迹。佛陀和我们看到一样的生老病死，但他致力于找寻其根本原因，这也是一个奇迹。他证得一切和合事物皆无常，是他究竟的胜利。他并非炫耀他打败了一个外在的敌人，而是发现了真正的敌人是攀缘的我执；而击败我执，比一切真实或想象的超自然能力，都是更大的奇迹。

虽然现今的科学家们认为他们发现了时间和空间都是相对的，悉达多在两千五百年前就已经得到同样的结论，而且没有任何研究基金或科学实验室；这也是一个奇迹。不像许多同一时代的人（或像今天我们许多人），逃不出靠外在赐予的恩宠才能解脱的这种想法，他发现了每一个众生其本性都是清净的。具备了这个理解，所有的众生都有能力自我解脱。证悟的佛陀并不就此终身退隐，他不顾教导与理解有多困难，反而以无比的慈悲心与一切众生分享他突破的发现。他设计了具有百千万种方法的道路，从单纯的敬香、坐直、观呼吸等，一直到复杂的观想、禅定等方法。这才是他超凡的力量。

超越时间与空间的好处

当悉达多证悟后，他被称为佛。佛不是个人名，而是指心的一种状态。佛这个字，是指一种功德，它具足了两个面向："成就者"和"觉醒者"，换言之，是指净化一切染污并证得全知者。经由在菩提树下的了悟，佛陀从困于主客概念的二元状态中觉醒。他了悟了一切和合事物无法恒常存在。他了悟了只要是源自我执的任何情绪，都无法导致快乐。他了悟了没有真实存在的自我，也没有真实存在的现象能被觉受。他也了悟了证悟是超越概念的。这些了悟就是我们所称的"佛的智慧"，这是对全部实相的觉知。佛被称为全知者，并不是说佛陀访遍了世界上每一所大学并背记了每一本书。这种学习根基于主体客体的二元知识，受其自身的缺陷、规范和目标所限，因此和觉醒的知见不同。我们可以看得很清楚，虽然现今我们拥有这一切科学知识，然而世界并非更进步；事实上，它可能是更糟。全知并不是指学问丰富。因此说某人知道一切，是意指他没有"不知"。

佛陀更进一步地对众人指出证悟心的真实面貌，因而让每一个人都能突破痛苦的循环，也就是因为如此的大慈悲心最让大家尊崇。如果有人不知情而将走过一片埋有地雷的田野，我们也许可以在他不知道的状况下，迅速地解除引信。但这只能暂时保护他，而且没有向他提供完全的真相。然而，对他解释往这方向下去几里都有地雷，就可以解除他当下及未来的痛苦，让他得以继续前进，甚至让他与他人分享这个讯息。同样的，佛陀教导人们，若要富裕，就要布施；若要征服敌人，就要慈悲。但他同时规劝大家，若要富裕，首先要知足；而若要征服敌人，先要征服自己的嗔恨。究竟上，他教导大家，经由解构自我，痛苦可以从根断除，因为如果没有自我，就没有痛苦。

由于感恩他的教法，悉达多的追随者以歌咏、祈祷文来赞颂他，有人赞美他的能力，能将整个宇宙置于一粒原子之上。有些追随者心怀崇敬，希望可以投生佛土。佛土被形容为有如一无限小之粒子，上有为数如宇宙中所有原子一般多的佛，在该处教导弟子们。如同密勒日巴的牦牛角一般，不信者，可能认为这是宗教性的童话，而信者可能毫不怀疑地接受这种描述而说，当然佛能这么做，他全知全能嘛。然而如果我们以空性的观点来思索实相，了解根本没有什么极小、极大或其他二元的分别，就能清楚地知道，佛并不需要臂力或膂力才能把宇宙举起来，放在一粒原子上。唯一所需要的力量，就是这个没有大或小的了解。导致我们无法如此看待现象的习气，是可以去除的，但我们有限的逻辑却阻碍了它。我们好像犯了厌食症或贪食症的人，虽然可能苗条美丽，却无法接受镜中所看到的自己，而别人也不懂为何她觉得自己肥胖。佛陀祛除了这所有的迷惑而见到一切时间、空间、性别、价值观都离于二元论，因此宇宙可以置于一粒原子之上。对这种了悟，他的崇敬者以诗歌赞叹他"超越时间与空间"。包括悉达多最亲近的阿罗汉弟子们，都以见手掌与虚空同大、尘土与黄金等值而闻名。

当悉达多证悟时，他并不是把时间停止下来，或抵达了时间之终点，他只是单纯地不再受时间概念的染污。当我们说悉达多去除了时间与空间的一切蔽障时，并不是指他摧毁了时光机器或拆解了罗盘——而是他完全超越了一切时间与空间的概念。

　　虽然超越时间与空间的实际经验对我们这种时光奴隶来说难以理解，但在世俗的生活中，我们是有可能对时空概念得到有弹性、非固定的感受的。我们遇见某人，正在遐想两人成为灵魂伴侣、结了婚、生了小孩，甚至还有孙儿；但就在此时，某些事情例如情人嘴角不经意流下的一丝口水，让我们悚然回到现实，而这些子孙们也就消失得无影无踪了。

　　由于超越时间与空间的益处这么难懂，我们不会想去了解它。我们太过习惯于依赖时间和空间的世界，因此不会想花力气在这种看来不真实的利益当中。我们对证悟超越善恶、苦乐、毁誉等二元情绪分别的面向，倒可能比较容易掌握。我们对时间与空间的依赖是可以了解的——因为目前它们很有用——但其他的这些分别，则无用到荒唐的地步。二元论缠缚我们，令我们每年花上百万美元，只是来保持外表而已。如果我们在沙漠中漂泊，就没有必要让自己看起来动人，所以很明显的，我们要让自己看起来光鲜，是为了他人，要吸引他人，与他人竞争，被他人接受。当某人说，噢，你有一双美腿，我们就会兴奋不已，继续打扮并期待更多的赞美，而这种赞美，就好比刀锋上的蜜糖一般。

许多人沉迷于自己对美丽的概念，以至于不知道我们认为吸引人的东西，事实上可能令他人厌恶。我们成为自己的概念和虚荣心的受害者。这种虚荣心喂养了化妆品工业，而化妆品工业正是破坏自然环境的因缘之一。当我们得到一大堆赞誉，其中夹杂了一点点批评时，注意力就会集中在那个批评上。我们对赞美永不满足，认为那都是应得的。渴望无尽赞美及注目的人，就像想要飞到天之边际的蝴蝶一般。

没有分别，没有概念，没有牵绊

除了一般的时间和空间概念之外，佛陀也抛弃了一切细微情绪的二元分别。他不视誉胜于毁，得胜于失，乐胜于苦，高贵胜于低微。他不受乐观或悲观所影响。没有一件事比另一事物更吸引人，或需要投入更多的力量。想象我们不再受无谓的赞美或批评所缚，而是如佛一般地听闻——只是音声，如同回音，或者如同我们在临终时刻的听闻一般。亲人们称赞我们有多美好，可能会令我们有点开心，但同时我们已经不在乎、不受影响了。我们不会再执著于字眼。如同生菜色拉之于老虎，你可以想象如果一切世间的诱惑都不具吸引力，而你能超越各种贿赂或劝诱的话，会是如何。如果能不被赞誉所收买，不被批评所打击，我们就会有无比的力量。我们会极度地自由，不再会有不必要的期待与恐惧，汗水和鲜血，以及情绪性的反应。我们终将能把"我一点都不在乎"付诸修行。不去追逐他人的接纳，也不去逃避他人的排斥，才能珍惜此刻所拥有的一切。大部分的时间，我们都在想延续好的东西，或者想在未来用更好的来取代它；或者我们沉溺于过去，忆念着曾经快乐的时光。讽刺的是，我们事实上并未曾真正珍惜过我们所怀旧的那个经验，因为我们正于恐惧中忙着攀执于期望。

我们像是沙滩上的儿童，忙着堆造沙堡，而圣者恰如在阳伞下望着我们的成年人。儿童们为了自己所创造的东西着迷，为了贝壳和铲子争吵，被拍上岸的浪头惊吓。他们经历各种各样的情绪。但成年人躺在附近，啜饮着椰子鸡尾酒，只是观看着，没有批判，不因为沙堡建得好而得意，也不因为有人意外踩到烽火塔而生气或悲伤。他们不像儿童一般地纠缠在戏剧之中。我们还想要求什么更好的证悟呢？

在世俗世界中，对证悟最接近的比喻就是自由；事实上，在个人生活和社会上，自由的概念是我们的原动力。我们梦想着一个能随心所欲的时空，就像美国梦。在我们的演说和宪法当中，我们把自由和个人权利拿来像咒语一般地念诵；但是在内心深处，我们并不真正想要它。如果被赐予完全的自由，我们可能会不知如何是好。我们没有勇气和能力来善用真正的自由，因为我们无法免于自己的傲慢、贪婪、期待与恐惧。如果这世界上所有的人都突然消失，只剩下一个人，我们可以想见他有全然的自由——他可以大叫、不穿衣服四下游荡、违犯法律——虽然这样的世界不再有法律，也没有证人。但迟早他会开始觉得无聊、寂寞，希望有同伴。而人际关系的最根本就是需要为他人放弃自己的一些自由。因此如果这位孤独仁兄的愿望实现，获得了一位同伴，这位同伴很可能会我行我素，因而有意无意地减损了他的自由。这怪谁呢？当然是这位孤独仁兄了。因为他的无聊造成了他的减损。如果不是无聊和寂寞，他可以还是自由的。

我们善于限制自己的自由。即使能够，我们也不愿裸体四下走动，或者拿死鱼当领带去面试求职，因为我们想赢得好感，交到朋友。纵使另类或民俗文化能提供很多智慧，我们也可能不愿碰触它们，因为我们不愿被指为嬉皮一族。

我们居住在责任和规范的牢狱之中。我们把个人权利、隐私权、持枪权、言论自由等说成重大议题，但我们却不愿意与恐怖分子做邻居。当事关他人，我们就要加以限制。如果他人全然自由，你就可能得不到你要的一切。他们的自由会限制你的自由。当马德里的火车和纽约的建筑物被炸毁时，我们责怪中央情报局纵容恐怖分子到处逍遥。我们认为政府的职责是保护我们免于受到侵害。但侵害者和恐怖分子却视自己为自由战士。同时，我们又希望自己是政治正确的公正之士，因此当我们貌似外裔的邻居被政府探员找麻烦时，又可能为他抗议。对于不切身的议题保持政治正确是特别容易的事。但无论如何，我们很可能成为自己政治正确的受害者。

出离心：虚空是尽头

如果认真地想要达到证悟，我们需要有力量放弃对我们非常重要的事物，而且需要有极大的勇气独自步向这条道路。不追求赞誉和收获，不逃避批判和损失的人，可能会被冠以不正常或疯子的头衔。用世俗的观点去看，证悟者可能看似不正常，因为他们不协商，不被物质利益所诱导或左右，不会感到无聊，不寻刺激，没有面子可丢，不依循礼仪规范，绝不为个人利益而虚假，绝不为博取他人好感而做事，也不会为显露而示现他们的特长和能力。但是如果对他人有利益，这些圣者会竭尽所能去做，不论是遵循完美的餐桌礼仪，或是领导一个财星五百强大企业。在两千五百年的佛教历史上，可能有无数的证悟者从未被发现，或因为被认为精神不正常而遭放逐。只有极少数被赏识为具有所谓"疯狂智慧"的人。但仔细想想，我们才是不正常的人，为了回音似的赞誉而晕头转向，为了批评而忧伤，为了快乐而攀缘执著。

不要说超越时间与空间，光是超越毁誉似乎都很难达到。但是如果我们开始了解——不只是智识上，而且是情感上的——一切和合事物皆是无常，那么我们的执著就会减少。我们确信自己的思想和财富有价值、重要而恒常的信念也会开始减弱。如果有人告诉我们只能再活两天，我们的行为就会改变。我们不再会执著于把鞋子放整齐、熨平内衣裤或囤积一大堆化妆品。我们可能还是会去逛街购物，但会有一种全新的心态。如果我们稍微了解，某些熟悉的观念、感觉和事物只是如梦幻般存在的话，就会发展出更幽默的态度。在生活中体认幽默，能避免痛苦。我们仍然会经历情绪，但它们不再能戏弄我们，蒙蔽我们。我们仍然会堕入情网，但没有被拒绝的恐惧。我们会使用自己最好的香水和面霜，而不会留到特别的场合再用。如此，每一天都会是特别的一天。

❖　　　　❖

佛的功德是无法言喻的，如同虚空似的无尽。我们的语言和分析能力只能达到宇宙这个概念。一只愈飞愈高，想要找到虚空尽头的鸟，终究只能达到自身的极限，而必须回到地面上来。

我们在这个世界上的经验，最好的比喻是如同一个史诗般的梦，其中有复杂交错的故事，有高有低，有剧情，有悬疑。如果有一段梦是充满了魔鬼或野兽，我们就想逃走。当我们睁开眼睛，看见天花板上旋转的风扇时，才会松一口气。为了沟通起见，我们说，我梦见魔鬼在追我，而且我们为逃脱魔掌而松了一口气。但是在这儿，并不是魔鬼走掉了。魔鬼在夜里从未曾进入你的房间，而当你正在经历恐怖的魔鬼经验时，它也不在那儿。当你觉醒而证悟，你从来未曾身为众生，你从来未曾挣扎过。从那时候开始，你不用提防魔鬼返回。当你证悟了，你无法回想你是愚痴众生的情形。你不再需要禅定。你不需要记忆任何事，因为你从未忘记任何事。

如同佛陀在《般若经》中所说，一切现象如梦如幻，甚至证悟也如梦如幻。设若有任何比证悟还伟大的，它也是如梦如幻。他的弟子，伟大的龙树曾写过，佛陀从未说过在你离弃了轮回之后，涅槃才会在那儿出现。轮回之不存在，就是涅槃。一把刀变利，来自于两种耗损——磨刀石的耗损和金属的耗损。同样的，证悟就是染污耗尽、染污的对治也耗尽的结果。最终，我们连证悟之道路也要抛弃。如果你仍然界定自己是一位佛教徒，那么你就还未成佛。

结

论

这年头，常会见到有人混杂调和各种宗教来适应自己之所求。试图作为不分教派者，他们尝试从佛教的观点来解释基督教的概念，或寻找佛教与苏菲派或禅宗与商业的相似之处。当然，人们总可以在任何两个存在的东西之间至少找到细微的类同——但我不觉得这种比较是有必要的。虽然所有的宗教都是起始于某种博爱的目标，通常是为了去除痛苦，但是它们之间都有基本的不同。它们都像药方，是为了减少痛苦而设计的；但如同药方，它们也依病人或病症而有所不同。如果你被毒葛刺伤，那么菱锌药膏是恰当的疗方。但是如果你患的是血癌，你不会试图找出菱锌药膏和化疗的相似性，然后用这药膏来治疗血癌，就因为它比较方便。相同的道理，混杂宗教是没有必要的。

在本书中，我尝试让大家一瞥佛教见地的要义。在所有的宗教中，见地是修行的基础，因为见地决定我们的动机与行为。俗谚"勿以貌取人"是真切的。我们无法仅凭外貌来判断我们的邻居。明显的，我们也无法仅以表象来判断像宗教这么个人化的东西。我们甚至无法以各个宗教所倡导的行为、伦理、道德或规范来判断它们。

见地是最终的参考点

见地，是任何宗教的核心。在跨越宗教（interfaith）的会议场上，我们可能不得不以外交辞令同意所有的宗教基本上都一样。但事实上它们有非常不同的见地，而除了你自己之外，没有人能判断哪一个见地比较好。只有你自己，作为一个独立的个人，以你的心智能力、喜好、感觉及背景，才能选择最适合你的见地。如同丰盛的自助餐，各种不同的菜式提供每个人各自之所需。举例来说，耆那教（Jainism）中，非暴力（ahimsa）的讯息如此美好，令人不解的是为何这个伟大的宗教不像其他宗教一样盛行。而基督徒的爱与救赎，则带给了百千万心灵安详与和谐。

局外人可能会对这些宗教的外相觉得陌生而不合逻辑。许多人对于缺乏明显理性的古老宗教和迷信感到忧虑，这是可以理解的。举例而言，许多人对佛教比丘的藏红袍子和光头都无法理解，因为这和科学、经济或现代化的生活毫无关联。我不禁怀疑，如果将持有这种看法的人，送到西藏寺院中，面对着愤怒尊和赤身女性相拥的壁画时，他们会怎么想。也许他们会以为看到了印度《爱经》（*Karma Sutra*）中的性爱画面，或更糟的，以为见到了堕落和邪魔崇拜的铁证了。

看到耆那教修行者裸体行走，或印度教徒膜拜似牛或猴的神祇时，局外人可能会感到震惊。对那些不了解基督教的人，可能很难理解为何基督徒不选择耶稣在光辉时期的故事，而是被钉在十字架上最幽暗而令人感伤的章节。他们可能很难了解，那中央圣像、那十字架，都让这位救世主看起来非常无助。然而这些都只是外相。以外相来评估或判断一条道路或宗教，不仅不智，更可能导致偏见。

我们也不能以严格的行为规范来定义一个宗教。严守规矩并不能造就出一位好人。据说希特勒就是素食者，并且非常重视自己的仪容。然而纪律和优雅的外貌本身并不是神圣的。一些严守纪律而且衣装整洁的盖世太保军官，执行了最令人毛骨悚然的谋杀。而且归根究底，由谁来决定什么是"好"的？在一个宗教里的善，可能是另一个宗教的恶或无关紧要的。比如说，锡克教男士从不剪发或剃须，但东西方传统的出家人通常都剃光头，清教徒则可以随意处置他们的头发。每一个宗教对于它们的象征和修持都有深刻的解释——为何不吃猪肉、不吃虾，为何必须剃头或不准剃头。然而在这些无尽的可与不可之间，每个宗教必定有个基本的见地；而见地才是最为重要的。

如同所有其他的宗教，佛教也有一些行为规范，但对佛教徒而言，这不是最重要的。如果法国政府突然决定禁止佛教徒在香榭丽舍大道上穿着藏红色袍子，佛教徒应该不会有异议。事实上，如果在公众场合中不穿藏红色袍子能增进祥和与宁静，佛教徒应该会乐于遵从，因为祥和与宁静接近佛教的核心。

决定行为是否恰当，最终的参考点是见地。评估行为，要看它和自己的见地是否相配。如果你居住在加州的威尼斯海滩，而你具有"苗条是美好"的见地，你的动机是想减肥，也一直在沙滩上禅思这样会有多好，你的行为可能就是避免吃米饭和甜甜圈，而是吃青菜色拉，外加每周运动五次。但假如你是住在东京的相扑选手，你的见地是"超级肥胖是美好的"，你的动机是要增加体重，而你一再地沉思不要当一个瘦小的相扑选手，你的行为就会是尽量吃米饭和甜甜圈。因此吃甜甜圈到底是好是坏，全赖你的见地而定。同样的，我们可能会误以为某些人不吃肉是心怀慈悲，但实际上他们的见地可能只是认为肉类不好，会增加胆固醇而已。

最终，不充分了解他人的见地，就不能判断他人的行为。

佛教的一切方法都可以用四法印来解释——一切和合现象皆无常、一切情绪皆苦、一切事物无自性，以及涅槃超越概念。佛教经典所提倡的每一言行，都是基于前面所讨论过的这四个见地或四个真谛。

在大乘经典中，佛陀规劝弟子们不要吃肉。不仅因为带给另一众生直接的伤害是不善的，吃肉的行为也不符合四个见地。当你吃肉时，在某个程度上你是为了生存——维持自己的生命。这个生存的欲求和你想要恒常有关，为了活得长久因而消耗另一众生的生命。如果放一个动物到你的嘴里能延长你的寿命，那么，从一个自私观点来看，可能还有理由这么做。然而事实上，不论塞多少尸体到你的嘴里，你还是不免一死，甚至也许会更早。

结　论

139

也许有些人吃肉是为了虚荣的原因——品尝鱼子酱，因为它奢华；食用虎鞭，为了增加性能力；服用燕窝，借以保持青春的皮肤。没有比这些更自私的行为了——为了自己的虚荣，另一个生命因而结束。在相反的状况下，我们人类甚至不能忍受被蚊子叮上一口，更不必想象自己被关在拥挤的牢笼里，嘴喙被切除，与自己的家人和朋友们一起等待被宰杀，或被养肥作为人肉汉堡。

这种对自我的执著是无明；而我们已经谈过，无明带来痛苦。以吃肉为例子，他人也因而受到痛苦。由于这个原因，在大乘经典中有一种修行，是将自己设身于这些动物的境地，出于慈悲心而戒食肉。当佛陀禁止食肉，他意指所有的肉类；他并没有因为情感因素而单指牛肉，或指猪肉——因为它不干净，他也未曾说因为鱼没有灵魂，所以吃鱼没关系。

四法印的美妙逻辑

另一个例子，大家来想想布施。当我们开始了解第一个真谛，就会视一切事物短暂而无价值，把它们看成像救世军捐献袋里的东西一般。我们并不一定要将一切都给光，但我们对它们不会有执著。当我们了解所有的财物都是无常的和合现象，无法永远紧握不放，布施实际上就已经实现了。

了解了第二个见地，我们可以发觉自我这个吝啬者是主要的罪人，它除了给我们穷困的感觉之外，一无是处。因此不执著于自我，我们找不到原因来执著于财富，因而再也不会有吝啬的痛苦。布施成为一种愉悦的行为。

了解了第三个见地，我们了解执著只是徒劳，因为不论我们执著什么，它们都不具真实存在的本性。它好比是在梦中，将亿万元在街上送给陌生人。由于那是梦中的钱财，所以你可以大方地施舍，而且你还可以获得这种经验的乐趣。根据这三种见地的布施，一定会让我们了解到这是无目标的。它不是要用忍受牺牲来换取认同，或保证得到一个更好的来生。

没有价码、期待或附带条件的布施，让我们得以一窥第四个见地——解脱是超越概念的这个真理。

如果我们将布施等善行的圆满与否，以物质标准来衡量的话——譬如说除去了多少贫困——那我们永远无法达到圆满。光是资助一座在柬埔寨的孤儿院，都可能是一项不可能完成的任务。穷困是无尽的，穷人的欲求也是无尽的，甚至富人的欲求都是无止境的；事实上，人类的欲望永远不可能完全满足。

但是根据悉达多的启示，布施应该以布施者对布施物以及布施者对布施者自己这两方面的执著程度来评量。一旦你了解自我以及所有的财富都是无常而不具真实本性，就不会有执著，而那就是最圆满的布施。因此，佛经中鼓励的第一种行为，就是修持布施。首先你以不昂贵的东西，诸如水、花等开始，引入布施的习惯，然后渐渐进展到（意念上）供养我们的家庭、住宅，甚至整个宇宙。这种布施可能看起来非常宗教化或仪式化，但它的要义是消除我们对恒常的概念。

深入了解业报、清净和非暴力

业这个概念，无可否认地是佛教的商标，它也包含在这四个真谛之中。当因缘和合而且没有障碍时，结果就会出现。结果就是业。业是由意识（心或自我）所集合而成的。如果这个自我因贪爱或嗔恨而行动，就会产生恶业。如果念头或行为的动机是基于慈爱、忍耐和希望他人快乐的原因，就会产生善业。然而，动机、行为和业果本质上皆是如梦如幻的。超越业报，不论善的或恶的业报，就是涅槃。任何不是根基于这四种见地的所谓善行，都只是正义（righteousness）而已，它不是悉达多的究竟之道。即使你能喂饱全世界所有饥饿的众生，但是如果你全无这四种见地，那么它只是一个善行，而非通往证悟之道。事实上，它可能会是一个设计用来豢养和支撑自我的正义之行。

由于这四种真谛，佛教徒可以经由忏悔而修持净化。如果有人觉得自己脆弱或有罪而气馁，认为罪恶一直阻碍着他的证悟，那么他可以宽心。了解罪恶是和合的，因此它必定是无常而可净化的。在另一方面，如果有人觉得能力或功德不足，他也可以宽心。知道功德可经行善而累积，功德不足是无常的，因此也可以改变。

佛教徒实践非暴力，并非只是微笑退缩或温驯体贴而已。暴力的基本原因来自于执著极端的想法，例如公平或道德。这种执著通常来自于采取二元见地的习惯，例如善与恶、美与丑、道德与不道德等。个人僵化的自我正义感占据了所有的空间，以至于容不下对他人的同情心，理智因而丧失；如果能了解所有这些见地或价值观以及鼓吹它们的人都是和合而且无常的，就能防止暴力。当你没有我执，不执著自我，就完全没有理由使用暴力。如果能了解到敌人是被他们自己的无明和嗔恨等强大的影响力所控制，知道他们是陷于习气之中而无法自拔，我们就会比较容易原谅他们令人恼怒的行为。相同的，如果有精神病患者侮辱你，你不会有理由生气。如果我们能够超越相信二元现象的极端，就能超越暴力之因。

四法印：无法分割的整体

在佛教中，任何建立或强化这四种见地的行为，就是正确的道路。即使形似仪式性的修行，例如焚香或修持神秘禅定及咒语，都是为了帮助我们专注于这四种真谛而设计的。

而任何与这四种见地矛盾，包括有些看似慈悲的行为，都不是佛教道路的一部分。甚至空性的禅定如果不符合这四种真谛，都会变为纯然否定，只是断见之道而已。

为了沟通起见，我们可以说这四种见地是佛教的主干。我们称之为"真谛"，因为它们是单纯的事实。没有人制造了它们：它们不是佛陀神秘的天启，也不是佛陀开始教法以后才变成的事实。依照这些原则生活，并非仪式，也非技巧；它们不属于伦理或道德，也无法被专属或独享。在佛教中，没有所谓的"不信神的异端"或"亵渎上帝者"，因为不存在你必须忠诚的对象，也没有可以污辱或怀疑的对象。然而，对不觉知或不相信这四种真谛的人，佛教徒认为他们是无明的。然而无明并非拿来作为道德判定的原因。如果有人不相信人类已经登陆月球，或者认为地球是扁平的，科学家只会说他是无知，而不会说他亵渎科学。相同的，如果他不相信这四种真谛，他并非异端。事实上，如果有人能证明这四真谛的逻辑是错误的，证明执著自我并不痛苦，或有些元素并非无常，那么佛教徒会很愿意去遵从那条道路。因为我们所追寻的是证悟，而证悟意指对真相的了悟。然而，至少到今天，多少世纪以来，未曾出现过任何否定这四个真谛的证明。

如果你忽略这四个真谛，但由于对这个传统的爱而坚称你是佛教徒，那么这就是表面的虔敬心。佛教的大师们相信，不论你如何自己贴标签，除非你对这些真谛有信心，否则还是会继续活在一个幻象的世界中，却相信它是坚固而真实的。虽然这种信念能提供短暂的无明之喜乐，但是它终究还是会带来某种形式的焦虑。然后你就得花上所有的时间试图解决问题，去除焦虑。你需要不断地解决问题，好像染上毒瘾一般。试问，你曾经解决过多少问题，然后看着其他的问题又生起？如果你乐于这种循环，那么就没什么好抱怨的。但是当你了解到问题永远不会有结束的一天，那么，探寻内在真谛的开始就到来了。尽管佛教不能解决世界上所有暂时的问题和社会的不公正，然而如果你正好开始探寻，而你正好和悉达多有缘，那么你可能会接受这四种真谛。果真如此，那么你就该考虑认真地追随他。

出离中的丰富

然而，作为悉达多的追随者，不必要模仿他的每一个行为——你不需要趁太太熟睡时出走。很多人认为佛教和抛家弃子、离开工作、隐遁山林是同义字。导致这种禁欲生活形象的部分原因，是因为许多佛教徒都崇敬经典和教法中的苦行僧众（mendicant），就如同天主教徒崇敬阿西西的圣方济各(St. Francis of Assisi) 一般。我们对佛陀于摩揭陀城中赤足托钵，或密勒日巴在山洞中以荨麻汤维生之形象，会油然生起震撼与感动。一位单纯的缅甸比丘托钵接受供养的安详身影，也会吸引我们的想象。

然而，佛陀还有完全不同类型的追随者。举例来说，阿育王步下了镶嵌珍珠黄金的皇家马车，誓言将佛法传播到世界上的每一个角落。他跪在地上，手上抓了一把沙，宣告他要兴建与手中沙粒一样多的佛塔。而事实上他也做到了。因此，一个人不管他是国王、商人、娼妓、吸毒者或企业执行长，都仍然可以接受四真谛，因为基本上，我们所珍惜的，并非放弃物质世界的这个实际的出离行动，而是能了解并接受真谛的能力。

我们要了解这四种见地，不一定就得抛弃一切；而是我们对事物的态度开始改变，它们的价值也因而改变。就因为你的财富比某人少，并不表示道德上你就比他清高。事实上，谦卑本身可能是虚伪的一种形式。当我们能了解物质世界的无自性和无常，出离就不再是一种自我虐待的形式。它并不是要我们折磨自己。"牺牲"一词就具备了不同的意义。有这样的了悟，一切事物的重要性都会和吐在地上的口水差不多。我们对口水不会伤感。失去这种伤感，就是大乐之道，称为善逝（sugata）。能了解出离为大乐，往昔的印度有其他许多王子、公主及将军自宫廷生活出离的故事，就不足为怪了。

　　在印度这样的国家里，爱好真理、尊敬追寻真理的人，是一种古老的传统。甚至在今天，印度社会不但不轻贬出离的行者，反而尊崇他们，如同我们尊敬哈佛或耶鲁大学的教授一般。虽然，在商业文化挂帅的今天，这个传统有些淡化了，但是你还能看到赤身裸体、身上涂满白灰的苦行僧，放弃了成功的律师事业，成为游方的行者。当我看到印度社会如何尊敬这些人，而不是把他们当成不光彩的乞丐或瘟疫驱走，我全身都会起鸡皮疙瘩。我不禁想起如果他们出现在香港的万豪酒店，那些迫切地想要模仿西方模样的新贵华人，对这些身涂白灰的苦行僧会做何感想？门童会替他们开门吗？或者，在洛杉矶Bel Air酒店的客服人员会怎么反应？这个时代，人们不崇拜真理和尊敬苦行僧，反而崇拜商业广告牌，尊崇抽脂减肥。

结　论

当你读到这里，也许会想，我既大方又好布施，而且对自己的东西没太多贪恋执著。你也许真的不是紧守荷包的人；但当你正在布施时，如果有人把你最心爱的铅笔拿走，你可能会生气得想把他的耳朵咬掉。或者如果这时有人说，你就只能给这么一点吗？你可能会十分气馁沮丧。当我们布施时，常被这个"布施"的观念所卡住。我们攀附于其结果——如果不能要个好的来生，至少也要在此生受到表扬，或者也许只是墙上的一面奖牌。你捐出个手镯，却大张旗鼓——有仪式、褒扬及感谢；但如果有人抢走你的手镯，那又另当别论了。你会了解因为你想出风头，想要演出，你才布施。我也曾遇见过许多人认为自己好善乐施，只因为他们曾捐钱给某个博物馆，甚至只是给了自己的子女，而希望得到他们终生的忠诚。

道德如果不能随伴这四种见地，同样地也可能被扭曲。道德喂养自我，把我们变成清教徒心态，批判和我们道德观念不同的人。我们执著于自己的道德观，看不起别人，并且想把我们的观点强加于他人，甚至不惜夺取他们的自由。伟大的印度学者及圣者寂天（Shantideva），是位出离王室的王子，他教导我们，要避免碰上任何一切不善的事物是不可能的，然而，只要我们能应用这四见地的任何一项，就能避免一切的不善。如果你认为整个西方世界是被魔鬼盘踞的或者是不道德的，要征服它、重建它是不可能的，然而若你内在能具备容忍，就等同于征服了。你不能整平整片大地，但穿上鞋，就能避免粗糙而不适的表面。

如果我们能在经验上，而不只是智识上了解这四种见地，就能开始化解我们对如幻事物的执著。这种解脱，就是我们所称的智慧，而佛教徒尊崇智慧胜于一切。智慧超越道德、慈爱、常识、容忍以及素食主义，它并非人们需要向外寻求的神灵性，我们要生起智慧，首先要听闻四见地的教法，而且不只是接受它表面的意思，更要分析并思索。如果你确信这条道路能替你清除某些迷惑，带来某些解脱，那么你就可以确实将智慧付诸实践。

有一个很古老的佛教方法，就是上师给弟子一根白骨，然后指示他们去思索其起源。经由这种思维，弟子终将了解这根白骨是生之结果，而生是业报之结果，而业报是贪著之结果等等。彻底地相信了因缘与业果的逻辑之后，他们就能开始时时刻刻、在各种状况下运用觉知。这就是我们所谓的禅定。而能带给我们这种信息和了解的人，我们尊他们为师，因为虽然他们有深刻的了悟，可以快乐地活在山林之中，可是他们愿意留在这里，为那些还在黑暗之中的人解释见地。因为这种信息能帮助我们从各种不必要的困惑中解脱，我们对解释者会有自发的感激。因此我们佛教徒对老师致敬。

一旦在智识层面接受了见地，你就可以应用任何能够加深了解和领悟的方法。换句话说，你可以用任何技巧或修行来帮助你，将认为事物是坚实的习惯，转化为视它们为和合、相互依存并且无常的习惯。这才是真正的佛教禅定和修行，而不只是笔直地坐在那儿像个镇纸而已。

纵然在智识上我们都知道自己不免一死，但是小若一个随口的恭维，就能遮蔽这种认知。如果有人说我们的指节看起来很优雅，马上我们就发现自己试图寻找保养指节的方法。突然间我们认为有东西需要保护，否则会失去。这年头，我们不断地被许多必须除去的新东西以及必须拥有的新事物所疲劳轰炸。我们比往昔更需要各种方法来提醒自己，帮助我们习惯这些见地，如果不是剃光头或隐居山洞的话，可能到了要挂根人骨在汽车的后视镜前的地步了。伦理和道德与四见地结合，就会变得很有帮助。伦理和道德在佛教中也许次要，但它们的重要性在于能将我们带近真理。但是，即使有些行为看似善良而正面，如果它会带我们远离四真谛的话，悉达多本人会劝诫我们离弃这种物质主义的精神修行。

茶杯与茶：在文化中的智慧

四真谛好比茶叶，而所有其他用来实践这些真谛的方法，诸如修行、仪式、传统以及文化装饰物，就好比杯子一般。技巧和方法是可见而有形的，但真谛却不是。我们的挑战，是在于不要被杯子迷住。人们通常都比较喜欢在安静的地方在坐垫上打坐，而不愿意去思索到底明日还是下一生会来得较早。外在的修行是可见的，因此我们的心很容易将它们贴标签为属于佛教的；然而"一切和合事物皆无常"的概念不是有形的，不容易指认。讽刺的是，无常的实证遍在我们周遭，但对我们而言，却毫不明显。

佛教的精义超越文化，但佛法有许多不同文化的人修持，他们用了各自的传统，像杯子一般，来装载教法。如果这些文化装饰物能帮助众生又不产生坏处，而且如果它们不与四真谛相抵触，那么悉达多会鼓励这种修行。双手合掌虽然不一定意味着神圣或引请法力，但在许多文化中它是尊敬或问候的动作。因此，我们在佛教世界中到处看得到祈祷的手——从简单的双手合十，乃至五体投地的大礼拜这种复杂的姿势都有。但是如果悉达多遇见某种文化习俗是把女人和女孩都禁锢起来，他会认为这是不善的行为，不是因为这种行为的工具——牢房和钥匙——本身是丑陋的，而是因为它源自于男性的自私心，他们由于无明而执著于权力，纵容自己的占有欲、嫉妒心和自我保护。这种行为和第二种真谛是完全背道而驰的。

好几个世纪以来，人们制作了许多不同厂牌和风格的杯子。不论背后有多少善意，不论它们多好用，如果我们忘了里面的茶，杯子就会变成障碍。虽然它们的目的是承载真谛，我们却专注于方法，而非结果。因此大家拿着空杯子走来走去，或者忘了喝茶。佛教文化习俗的仪典和色彩，如果不是令一般人迷醉，至少也会让我们分心。烧香和点灯富有异国情调而且容易吸引人，但无常和无我却非如此。悉达多自己曾说，最好的崇拜方式，就是单纯地忆起无常的原理、情绪的痛苦、现象无自性，以及涅槃超越概念。

在表象的层次上，佛教可能看起来非常仪式化和宗教性。佛教的一些规矩，诸如藏红袍子、仪式与法器、焚香与供花，甚至连寺庙等都是有形的——它们可见，也能被拍摄。我们忘记了它们只是方法，不是结果。我们忘记光是做法事或守纪律，如吃素、穿袍子等，并不必然成为佛陀的追随者。但人心喜爱象征和仪式，因此它们变得几乎是不可避免，不可或缺。西藏的沙坛城和日本的禅宗庭园是很美丽；它们能启发我们，甚至可以作为了解真谛的工具。但真谛本身，既非美丽，也非不美丽。

虽然我们也许可以不要诸如红帽、黄帽或黑帽等东西，但有些仪式与规矩却普遍可取。只要你真正是在思维真谛的话，我们不能说躺在吊床上、手拿插有小雨伞的饮料来做禅定是绝对错的，但是诸如端正坐直等对治方式，事实上有很大的好处。正确的姿势不只容易做到，而且十分经济，它还能让你的情绪不被经常霸占而令你迷失的快速反应所控制。它给了你一些空间，让你更清醒。其他制度化的仪式，例如群体仪典和宗教性的阶级架构，可能有些益处，但重要的是要了解它们也曾被往昔的大师们批判嘲讽。我个人认为这些仪典一定就是许多西方人把佛教归类为膜拜式宗教的原因，虽然我们在四真谛中，找不到一丝一毫有关膜拜的蛛丝马迹。

现在佛教在西方渐渐盛行，我曾听说有人将佛教教法改变来配合现代的思考方式。如果有任何东西需要改变，应该是仪式和象征，而非真谛本身。佛陀曾说他的规矩和方法应该顺应时空而适切地改变。但是四真谛不需更新版本或修改；而且，事实上也不可能这样做。你可以换个杯子，但茶还是纯的。历经两千五百年，从中印度的菩提树下历经了四千零七十八万一千零三十五英尺到纽约的时代广场，"一切和合现象皆无常"这个概念，仍然适用。你无法扭曲这四项真谛；它完全没有任

结　论

153

何社会或文化的例外。

不像某些宗教，佛教不是规定一个女人应该有多少个丈夫，应该到何处去付税，或如何惩罚窃贼等的生活指南。事实上，严格说起来，佛教甚至连婚礼的仪式都没有。悉达多教法的目的，不是去说人们想听的话。他之所以教法，是由于有强大的动力，希望众生能解脱他们对真理的谬见和无尽的误解。然而，为了要有效地解释这些真谛，悉达多根据不同听众的需要，用了不同的方式和方法来教导。这些不同的教法现在被标示为佛教不同的"宗派"。但所有宗派的基本见地都是一样的。

宗教有领袖是正常的。有些宗教，像罗马天主教，有繁复的阶层组织，由具有完全权威的领袖执行决策及判定。和一般人理解的不同，佛教没有这样的人物或制度。在日本、老挝、中国、韩国、柬埔寨、泰国、越南和西方的各种形式和宗派当中，并没有一个权威性的单位，有权力来决定谁是或谁不是真正的佛教徒。没有人能宣布谁应该或不应该受惩罚。这种缺乏中央集权也许会带来混乱，但也是一种福气，因为人类的每一种制度的每一种权力泉源，都可能腐败。

佛陀曾说，你是自己的主宰。当然，如果有具格上师花力气把真谛教导给你，你是非常幸运的。在某些情况下，这种上师应该比佛陀更受尊重，因为千佛可能曾经出现，但对你而言，是这位上师把真理带到你的门口来。寻找心灵导师完全要靠自己。你有充分的自由去分析他。当你完全确信了上师的真实性之后，接纳他、忍受他、欣赏他，就是你修行的一部分了。

尊敬和宗教性的热忱二者常被混淆。由于不可避免的外相，而且由于某些佛教徒的技巧不足，局外人可能认为我们把佛陀和传承上师当成神一样来崇拜。举例来说，中国人称某些上师为"活佛"。这种称谓是蛮危险的，因为虽然一个人可能借由观想老师如佛陀一般而获得利益，但是不熟悉的人可能会认为这个学生被虐待狂骗子所蒙骗了。

如果你想知道怎样才能决定一条正确的道路的话，只要记住任何与四真谛不相抵触的道路，都应该是安全之道。终究而言，并非位阶高超的上师在守护佛教，四真谛才是护卫者。

我要一再强调，了解真理是佛教最重要的面向。多少世纪以来，学者和思想家们，接受悉达多的邀请，尽心地去分析他的发现。数以千计的典籍对他的话语详尽地分析和辩论，就是最好的证明。事实上，如果你对佛教有兴趣，欢迎你去探掘每一个可疑之处，完全不用担心被贴上亵渎者的标签。无数的智

结　论

者都是先对悉达多的智慧和远见感到敬佩，然后才生起信心和虔敬心。也是由于这个原因，曾经有一时，许多王子和大臣，毫不犹豫地抛下宫廷生活，前去追寻真理。

修持祥和

不用说深奥的真理，在这个年代，甚至最实际、最明显的真理也被忽视。每天我们都听到人们在谈论经济的状况，却不了解萧条和贪婪的关联。由于贪婪、嫉妒和骄慢，经济永远不会强大到保证每个人都能获得基本生活之所需。我们好似住在森林中的猴子，在吊挂的枝干上随处大小便。我们的居所，地球，已经愈来愈污染。我曾遇见过的一些人，责难昔日的统治者和君王以及古老的宗教，认为这些是所有冲突的根源。但是现代世俗世界并没有做得更好，反而更糟。现代世界有什么变得更好的？科技的主要效应之一，就是更快速地摧毁这世界。有人相信，在地球上的每一种生命系统和每一种维生系统，都在衰落之中。

我们现代人，应该是时候来想想心灵方面的事了。即使我们没有时间坐在坐垫上，即使我们讨厌那些把念珠挂在脖子上的人，即使我们向一般朋友透露自己的宗教倾向会难为情。对我们所经验的一切事物之无常本性，以及执著于自我所带来的痛苦结果深切地加以思维，会带来和谐与安详——即使不是带到全世界，至少能带到自己周遭。

只要你接受并修持这四种真谛，你就是一位"佛教修行者"。你可能为了自娱或头脑体操，而读过这四种真谛，但若你不修持的话，就好像病人阅读药罐上的标签却不服用一样。另一方面，如果你修行，也没有必要到处标榜你是佛教徒。事实上，如果对你被邀请去社交场合有帮助的话，隐藏自己佛教徒的身份，是完全没问题的。但是要记住，作为佛教徒，你具有尽可能不去伤害他人、尽可能帮助他人的任务。这不是大不了的任务，因为如果你真心地接受并思维这些真谛，所有的这些行为都会自然流露。

同时，很重要的是要了解，作为佛教徒，你没有责任或使命去让全世界的人都改信佛教。佛教徒和佛教是两回事，就像民主党人和民主一样。我相信许多佛教徒曾经或正在对自己或他人做可怕的事。但令人鼓舞的是，迄今佛教徒未曾为了改变他人的信仰，而以佛陀之名发动过战争，或摧毁其他宗教的寺庙。

作为佛教徒，你应该坚守这个原则：佛教徒绝不以佛教之名参与或鼓励流血。你连只小虫都不能杀，更何况人。设若你知道某位佛教徒或团体这么做，那么，作为佛教徒，你必须抗议并且谴责他们。如果你保持缄默，你不只是鼓励他们，基本上你就和他们一伙。你就不是佛教徒。

后

记

我企图将佛教哲学的核心——四见地，以日常的语言提供给社会各行各业的人了解。如此一来，我需要在词汇的选择上做艰难的决定。我想很重要的是要了解，至今对梵文及藏文的佛法词汇，尚无真正终究共识的英文译法。在佛教不同的派别中，如上座部、禅宗、密乘等，或甚至在藏传佛教各派之中，这些词汇都有不同的意义和拼法。一个好的例子是 zag bcas（音 zagchey，攘卸），在本书中我们译成"情绪"，如同在"一切情绪皆苦"之中。这个词汇的选择令一些人认为太广泛而不以为然，他们认为并非所有一切情绪都是痛苦。然而，另外一些人则认为这不够广泛而不以为然，因为 zagchey 比较精确的翻译包含得很广。

秋吉宁玛仁波切（Chokyi Nyima Rinpoche）在他《无可摧毁的真理》（*Indistructable Truth*）一书中说，zagchey 一字直接的意义是"与掉落或移转有关"。他又说：

> 有一次我请问天津嘉珍库努仁波切（Kunu Rinpoche, Tendzin Gyaltsen）有关这个以及其他佛教词汇的意义。他首先解释了"人"或 gangzag，这其中包含了染污这个字里的一个音节。Gang 的意思是任何或任一，意指在六道轮回中任何可能投生的世界或地点。而 zagpa 指"落"入（漏），或"移转"至这些地方之一。因此"人"这个字意指"易于流转者"。他又提到传统上对此语源字义的讨论，因为阿罗汉也称为"人"，gangzag。

《佛陀的启示》（*What Buddha Taught*）一书作者 Walpola Rahula 把第一法印翻译为"一切有条件的事物皆是苦"。也有人翻译成"一切染污或不净的现象都有三苦之本质"。Rangjung Yeshe 字典给了一个类似的解释："一切会衰坏的皆是苦。"

我们还是可以争论所有这些解释都太广泛或都不够广泛。要认真地了解许多这类词汇，需要更进一步的研究及解释。基本上，任何受制于相互依存者就没有自主性，它不能完全自我控制，而这种依赖性就制造了不确定性，而这也就是佛教定义痛苦的主要元素之一。因此用英文的痛苦（suffering）这个字需要很多解释。

然而我还是决定用"一切情绪皆苦"，目的是希望不要让读者向外找寻他们痛苦的原因。它是更个人化的——它是我们的心和情绪。

另外，读者需注意的是，在本书中所阐述的四法印是相当大乘倾向的。声闻传统如上座部，可能没有这四法印。他们可能只有三法印。他们的三个就是在这儿的四个。因为这本书是作为一般性的解释之用，因此我决定说少不如说多，说一点不如说全部，然后以后就不需要再说了。

感

谢

谈到和合现象，我想告诉大家不需要到其他地方去找好的例子。这本书就是和合现象完美的例子。虽然书中举的例有些可能比较现代，但是论述及推理的基本逻辑和前提都是曾经教导过的。我决定不羞耻地去抄袭佛陀及许多过往的追随者，特别是伟大的莲花生大士、龙清巴、密勒日巴、冈波巴、萨迦班智达、吉美林巴尊者以及巴楚仁波切等人的原创想法及教法。如果有人读了此书而感受到一点启发，就应该花点力气去了解这些上师的教法。我必须在此说明，如果有任何重大的错误，无论是文字上或意义上的，完全都是我的责任。然而虽然我非常欢迎批评，但是我想那只会浪费你宝贵的时间。

这本书至少还有可读性，要归功于 Noa Jones。她不只担任

感　谢

编辑的工作，还自愿当做一名新来的佛教哲学实验老鼠。因此，我对她极度地赞赏与感激。同时我也要感谢 Jessie Wood 对标点符号如鹰般的眼光。我也要感谢我所有的朋友——青少年、学者、啤酒腹者以及思想家们；他们极具挑战的论点，帮忙塑造了这本书。这本书在曾经是美妙的印度教王国的巴厘岛乌布村中一个非常怪异的咖啡馆中发想，成形于温哥华充满松林与雾气的黛西湖畔，而完稿于喜马拉雅山中。

愿它带来某些好奇心。

出版社附注

想要进一步了解宗萨蒋扬钦哲仁波切的教法及事业的读者，可由下列两个组织获得更多的讯息：

一、悉达多本愿佛学会（Siddhartha's Intent International），是由仁波切指导成立的佛教组织。网址为 www.siddharthasintent. org。

二、钦哲基金会（Khyentse Foundation），这是由仁波切在公元2001年创立的非营利慈善机构。其宗旨在建立一个系统，用以支持及赞助研修佛陀慈悲与智能愿景的组织及个人。网址为 www.khyentsefoundation.org。